BABY YOGA

Françoise Barbira Freedman

Presentazione di Vimala McClure

Fondatrice dell'Associazione Internazionale degli Istruttori di massaggio infantile

ZELIG EDITORE

http://zelig.editore.it e-mail: info@zelig.editore.it

A Luke che con la sua gioia nel praticare lo yoga per neonati mi ha ispirato nell'insegnamento.

UN VOLUME GAIA

I volumi GAIA celebrano la visione Gaia per un pianeta eco-compatibile, nel tentativo di aiutare i lettori a sviluppare un migliore senso di armonia personale e planetaria.

Editor	Sarah Chapman
Illustratore	Sarah Theodosiou
Grafica	Lucy Su
Fotografia	Christine Hanscomb
Direttore editoriale	Pip Morgan
Produzione	Lyn Kirby
Direzione	Patrick Nugent

First published in the United Kingdom in 2000 by
Gaia Books Ltd, 66 Charlotte Street, London W1P 1LR
and 20 High Street, Stroud, Gloucestershire GL5 1AZ

Traduzione dall'inglese di Luisa Molteni

Titolo originale: «Baby Yoga. Gentle exercise for babies, mums and dads»

ISBN 88-87291-89-6

Nota dell'Editore
L'editore e l'autore declinano ogni tipo di responsabilità per eventuali danni derivanti dall'esecuzione degli esercizi consigliati in questo volume.

Avvertimento ai lettori
Se il vostro bambino ha un qualsiasi problema di salute chiedete il parere di un medico prima di iniziare a praticare gli esercizi del libro. Procedete passo per passo e dolcemente, evitando movimenti bruschi. Imparate bene le sequenze base dello yoga esercitandovi con regolarità. Non forzate mai il bambino, ma fate in modo che tutto diventi per lui fonte di divertimento e benessere.

Ringraziamenti dell'Editore
Gaia Books ringrazia:
Susanna Abbott per l'assistenza editoriale e Mary Warren per la correzione delle bozze e la stesura dell'indice.

Dr. Shamima Owen, Pediatra al Great Ormond Street Hospital, London, e Dr. Robert Surtees, Consulente Pediatrico e Lettore a Neurologia Pediatrica presso The Institute of Child Health, London, per la preziosa consulenza fornita.

E tutte le splendide mamme e i bambini che hanno posato per le fotografie.

BABY YOGA

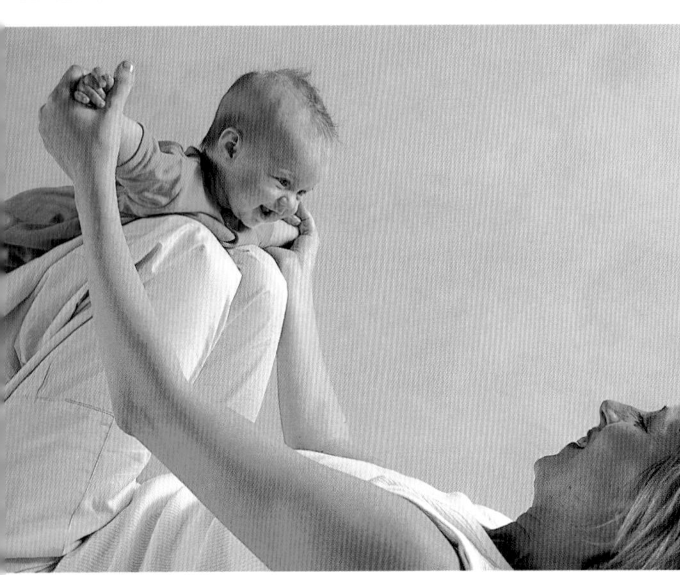

Sommario

Presentazione

Quando, tra il 1976 e il 1978, nacquero i miei figli, per poter continuare a praticare lo yoga trovai due modi. Nel 1976 sviluppai una routine di massaggio infantile da ciò che avevo imparato lavorando in India nel 1973 e dalla mia pratica come istruttrice di yoga tra il 1970 e il 1976 e queste esperienze furono raccolte nel mio libro «Massaggio al bambino messaggio d'amore: manuale pratico di massaggio infantile per genitori» (pubblicato nel 1978 con ristampe nel 1982, 1988 e una nuova edizione rivista e corretta nel 2000), che ha dato vita a una organizzazione mondiale di istruttori, la International Association of Infant Massage. In secondo luogo, feci partecipare i miei figli alla pratica yoga utilizzando molte delle tecniche illustrate da Françoise in questo libro. «Chiedere permesso» e «Rilassarsi attraverso il contatto» sono fra le tecniche da me sviluppate ora adottate in tutto il mondo dalla mia organizzazione: sono molto lieta che Françoise abbia deciso di includerle nel suo libro insieme a molte delle tecniche tradizionali indiane.

Mi hanno sempre molto colpito i diversi modi di accudire i neonati, adottati dalle più diverse culture indigene in tutto il mondo: dopotutto esse possono vantare un'esperienza millenaria che ritengo ingiusto sminuire con la definizione di «tribale». Sono lieta che Françoise abbia deciso di condividere la sua esperienza e capacità per insegnarvi a praticare lo yoga con i vostri bimbi. Siamo spesso così spaventati dall'apparente fragilità dei neonati da privarli del semplice piacere del movimento, confinandoli a una realtà limitata piuttosto che a una visione a 360 gradi del mondo che li circonda. Li lasciamo soli e trasmettiamo loro un falso messaggio secondo il quale l'essere privi di un contatto fisico è uno stato naturale; molte delle recenti invenzioni hanno contribuito ad allontanare piuttosto che farci sentire con maggiore intensità lo speciale rapporto che ci unisce a questi meravigliosi esserini.

È della massima importanza che i genitori imparino a seguire l'istinto per quel che riguarda le scelte giuste per i loro figli. Leggete con fiducia questo libro e, se avete qualche dubbio d'interpretazione, prima di proseguire chiedete consiglio al vostro pediatra. Gli esercizi illustrati saranno molto piacevoli per molti neonati ma per altri sarà forse necessario adattarli. In particolare, seguite il vostro istinto, ma se avete qualche perplessità per quel che riguarda la sicurezza, consultate una persona di fiducia che possa consigliarvi come adeguare gli esercizi alle particolari necessità di vostro figlio.

Lo yoga per neonati è un modo divertente di interagire con il vostro bimbo, che svilupperà il suo senso tridimensionale del mondo che lo circonda. Il modo ideale per iniziare qualsiasi movimento di stretching è di praticare un massaggio di riscaldamento, simile a quello muscolare che si pratica prima della ginnastica. Seguite le preferenze del vostro bimbo e assecondatele, cercando di creare, attraverso le tecniche illustrate, una routine personale: sono certa che serviranno a divertirvi e rilassarvi creando un legame speciale con vostro figlio.

Vimala McClure
Autrice di «Massaggio al bambino messaggio d'amore: manuale pratico di massaggio infantile per genitori», «Il Tao della maternità», «Il sentiero dell'essere genitori».
Fondatrice dell'International Association of Infant Massage Instructors.

Prefazione

Lo yoga con i neonati fa parte della mia vita. È la sintesi della mia pratica dello yoga e di quanto ho appreso sull'arte di essere genitori dalle popolazioni della foresta amazzonica, prima e dopo essere diventata madre. All'inizio, consideravo lo yoga per neonati come un'estensione del massaggio quotidiano all'ora del bagnetto. Ho sviluppato diverse sequenze per ognuno dei miei figli e quando Luke, il mio quarto figlio dimostrò un'attitudine speciale per lo yoga, diversi miei amici si unirono formando piccoli gruppi di pratica. L'atmosfera speciale che si sviluppa in queste classi di yoga per neonati favorisce la condivisione di un piacevole relax.

All'inizio della mia esperienza di mamma, due libri mi hanno particolarmente influenzato: «Il Concetto del continuum: ritrovare il benessere perduto» di Jean Liedloff (1975) e «Mani amorose» di Frédéric Leboyer (1977). Entrambi servono a introdurre i genitori occidentali a quelle tradizioni in cui la comunicazione con i neonati avviene attraverso il contatto fisico. Questi volumi hanno confermato le mie esperienze di giovane antropologa, quando aiutavo le mie sorelle dell'Amazzonia ad accudire i loro bambini. Il senso di alienazione che provai quando partorii in un ospedale in Inghilterra, mi stimolò a cercare nello yoga l'armonia che avevo trovato in queste esperienze. L'approfondimento attraverso la pratica e l'insegnamento mi ha spinto a sviluppare una tecnica per l'infanzia la più fedele possibile a quella classica. Credo fermamente che lo yoga per neonati sia una pratica salutistica che pone le basi del benessere e della non-violenza.

Françoise

Introduzione

Gli esercizi illustrati in questo volume, adattati da classiche posizioni di Hatha yoga, sono indicati per bimbi dalla nascita in poi. Nello yoga, il fisico raggiunge uno stato di benessere e rilassamento che ci fa sentire in profonda armonia con l'universo. Tutti questi benefici sono riscontrabili anche nei neonati. Lo yoga esercita uno stimolo fisico in loro, aiutandoli a rafforzare la spina dorsale e sviluppare l'elasticità delle articolazioni. Le posizioni yoga coinvolgono sensi, mente e psiche. In India, questo genere di esercizi è usato abitualmente come massaggio per neonati ed è parte integrante della medicina Ayurvedica che li riguarda. Lo yoga comunicherà ai vostri bimbi un immediato senso di benessere, sviluppando inoltre la vostra reciproca capacità di comunicazione non-verbale. Anche se non lo avete mai praticato, già dalla prima sequenza con il vostro bimbo (alle pagine 32-3) capirete di cosa si tratta.

Gli esercizi illustrati sono suddivisi in quattro fasi: dalla nascita alle otto settimane, da otto settimane a quattro mesi, dai quattro agli otto mesi e oltre. Se iniziate quando il vostro bimbo ha già più di otto settimane, vale la pena di partire dalle sequenze iniziali prima di arrivare a quelle per la sua età. Anche se il vostro bimbo ha più di otto mesi potete iniziare a fargli praticare lo yoga ma dovrete adottare un diverso approccio, basato più sul gioco interattivo. Leggendo il libro capirete l'efficacia dello yoga sui bimbi più piccoli e potrete adattarlo alle necessità di un bimbo più grande.

Anche se nel libro si parla sempre al singolare, va tenuto presente che in caso di parti gemellari lo yoga è un metodo eccellente per far sì che ogni gemello riceva la sua parte di attenzione.

Praticare lo yoga con il proprio bimbo può aiutare efficacemente la donna a ritrovare la linea perduta e a rafforzare il fisico dopo il parto. Se non lo avete mai praticato, potete provare le posizioni suggerite per il vostro bimbo: forse vi verrà voglia di iscrivervi a un corso tutto per voi.

Qualsiasi sia il vostro livello di esperienza nello yoga, vi accorgerete che il vostro bambino ha molto da insegnarvi.

1 I benefici del baby yoga

Come lo yoga può aiutare il vostro bimbo

L'esperienza tattile unita a quella del movimento è lo stimolo più forte che possiamo offrire a un bambino fin dalla sua nascita. Nello yoga questo si crea con il reciproco coinvolgimento con il genitore. Esattamente come negli adulti favorisce un profondo rilassamento, così nei neonati lo yoga induce un senso di grande benessere e li aiuta a fare sonni tranquilli e profondi.

Nel sempre più convulso mondo che ci circonda, i nostri bambini hanno bisogno di tutto il nostro aiuto per creare quei fondamenti di benessere cui potranno attingere per tutta la vita. Lo yoga costituisce una risorsa che li metterà in condizione di affrontare positivamente situazioni di stress, dando loro la capacità di rilassarsi. Una «manipolazione» affettuosa, che converte movimenti impegnativi in un gioco piacevole e sicuro da ripetere più e più volte, è il modo migliore per aiutare i nostri bimbi ad apprezzare la vita in tutti i suoi aspetti.

L'essere toccati, massaggiati e aiutati a muoversi, costituisce per i neonati un enorme stimolo multisensoriale. È dimostrato che il contatto fisico migliora le funzioni dell'intero sistema corporeo (respiratorio, circolatorio, digerente, nervoso ed endocrino). Esperimenti condotti su un'ampia varietà di mammiferi hanno dimostrato quanto lo stimolo fisico sia importante per un armonico e sano sviluppo. Negli animali presi in esame, quelli stimolati sono cresciuti più in fretta e meglio: guadagnavano peso più in fretta, erano più vivaci, avevano un migliore aspetto e dimostravano una maggior resistenza alle infezioni. Erano anche più rilassati, meno irritabili e meno timorosi rispetto agli altri animali sottoposti a test.

Lo stimolo tattile contribuisce anche allo sviluppo del sistema cerebrale e nervoso che non è ancora completo alla nascita. Secondo uno studio clinico effettuato da un ospedale in Florida, i prematuri massaggiati e cullati tutti i giorni hanno dimostrato uno sviluppo neurologico superiore a quelli non stimolati: praticare lo yoga contribuisce a un migliore processo di sviluppo, rafforzando tutte le funzioni del sistema nervoso.

Benessere e salute

Nello yoga, ogni stiramento è controbilanciato da un rilassamento: il vostro bimbo imparerà presto che sono complementari. Ciò significa che sarà in grado di provare attivamente un profondo rilassamento, diverso dallo stato di veglia o di sonno. Quanto più un bimbo sperimenta questa sensazione, tanto meglio saprà reagire alla tensione che accompagna inevitabilmente il disagio fisico, in particolare quello del sistema gastrointestinale. Le coliche di cui soffrono molti neonati sono spesso causate da tensioni che si accumulano nell'organismo. Osservare il rilassamento che raggiunge un bimbo dopo lo yoga è un'esperienza illuminante per ogni genitore.
Ai bambini piace molto l'effetto combinato di massaggio, movimento, ritmo e rilassamento e l'effetto di questi benefici ricade anche sui genitori. Praticare yoga con un bimbo significa giocare, fare stretching e rilassarsi insieme, focalizzando la propria attenzione l'uno sull'altro. Anche voi risentirete indirettamente l'effetto benefico della stimolazione tattile e del rilassamento indotti dalla vostra azione. La pratica regolare dello yoga insieme al vostro bimbo vi aiuterà a tonificare la muscolatura e a bilanciare i cambiamenti ormonali che seguono il parto e che in qualche misura colpiscono tutte le donne.

Yoga e massaggio

Lo yoga per i neonati è in stretta relazione con il massaggio. Il massaggio è quasi una spontanea estensione del desiderio di molte madri di controllare personalmente, dopo la nascita, che tutto è a posto e fa parte della cura quotidiana del bambino in molte culture. In India, per esempio, è tradizione praticare al neonato un energico massaggio quotidiano con olio, seguito da esercizi di yoga e da un bagno caldo. Tutto questo è stato qui adattato alle consuetudini occidentali con esercizi più delicati.

Potete iniziare ogni sessione di yoga con un massaggio completo al corpo del vostro bimbo. Una semplice sequenza è illustrata alle pagine 30-31. Se questo non vi attira o pensate di non avere tempo a sufficienza, cominciate direttamente con lo yoga: potreste massaggiare il vostro piccolo dopo. Quasi tutte le sequenze includono qualche massaggio che potrete fare senza spogliare il bimbo e senza olii. Ogni volta che vostro figlio fa yoga, riceve un massaggio a mani, piedi e addome.

Anche i papà

Quasi tutta la documentazione sui legami concerne la relazione tra madri e figli ma anche quelli con i padri sono importanti. Il massaggio e lo yoga sono mezzi ideali per aiutare i padri a stabilire un rapporto fisico creativo con i loro bimbi, contribuendo così attivamente al loro sviluppo.

Guarire con lo yoga

Lo yoga, oltre a stimolare il fisico, il sistema nervoso ed endocrino, agisce sui campi di energia che trascendono il corpo. Se lo avete praticato durante la gravidanza, avete già sperimentato l'effetto stimolatore e calmante della respirazione profonda sul feto.

Lo yoga impegna tutta la capacità cognitiva impressa nel sistema nervoso del neonato fin dall'inizio del suo sviluppo. Il rilassamento profondo, specie con la madre, consente al neonato di attingere a questa capacità. Altre culture consentono al neonato e alla madre di trascorrere insieme gran parte del giorno e della notte ma lo stretto contatto fisico consente tuttavia solo una continuità passiva: lo yoga ricrea deliberatamente questa continuità con il rilassamento.

Fare yoga con i neonati sarà quindi utile sia ai genitori che ai bimbi, anche se la nascita è stata difficoltosa. Il movimento e il rilassamento aiuteranno a cancellare il ricordo di un'esperienza di nascita traumatica o a migliorarne uno già positivo. Inoltre le tecniche di rilassamento comune serviranno a riallacciare un legame che il trauma della nascita potrebbe avere danneggiato.

La percezione del mondo

È opinione generalmente condivisa che la stimolazione sensoria sia di estrema utilità per la sana crescita dei bambini: più difficile è stabilire i parametri ideali degli stimoli ottimali. In certe culture, ad esempio quella giapponese, i neonati sono poco stimolati durante le prime sei settimane di vita. Viceversa in America ed Europa è tradizione circondare i bimbi fin dalla nascita di stimoli sensoriali attraverso una quantità di giochi ricchi di colori e suoni.

Il primo stimolo sensoriale che lo yoga dà ai neonati altro non è che una versione intensificata del rapporto tradizionale con i genitori. I neonati adorano i visi umani e fanno uso di tutte le loro facoltà percettive per riconoscere il volto della mamma e del papà. Quando praticherete lo yoga con il vostro bimbo, vi accorgerete di come seguirà il vostro sguardo, le vostre parole o canzoni e addirittura di come sembrerà percepire più intensamente il vostro odore quando fate i movimenti insieme. Il neonato è molto reattivo al tatto e al modo in cui viene maneggiato e distinguerà prestissimo il vostro stile personale.

Nello yoga anche la vista è continuamente stimolata dall'avvicinarsi o allontanarsi del volto del genitore durante i movimenti: il bimbo impara molto in fretta a mettere a fuoco mentre effettua i vari esercizi. Sarebbe errato cercare di attribuire più importanza a una percezione piuttosto che a un'altra. Nello yoga, tutti i sensi del neonato vengono stimolati collettivamente e l'uno acuisce gli altri.

Lo yoga consente anche una stimolazione «vestibolare» che influenza l'equilibrio e la percezione dell'altezza. Il modo di portare i neonati e di muoversi con loro secondo i principi yoga, insegna a riappropriarsi di forme di stimolo che fanno parte del bagaglio evolutivo del genere umano e che sono state in qualche modo abbandonate nel mondo moderno.

La reazione dei neonati alla voce, vista, tocco e odore dei genitori è direttamente correlata all'emozione che essi associano all'esperienza. Più i genitori si impegneranno dal punto di vista sensoriale quando praticano lo yoga con i propri bimbi, più intensa sarà la risposta. È però estremamente importante che lo stimolo sensorio attivato dallo yoga sia trasmesso in modo affettuoso e rassicurante, tra le braccia dei genitori: lo scopo è di suscitare il più possibile sensazioni di piacere nel neonato. Lo stimolo sensoriale, più che un obiettivo, è una conseguenza dell'intensa interazione prodotta dallo yoga.

I benefici dello yoga per neonati

Fisici

- Una breve sessione è sufficiente perché il neonato svolga la stessa quantità di attività fisica che svolgerebbe nell'intera giornata: servirà a conciliare un sonno tranquillo.
- Il comportamento del vostro bimbo sarà più equilibrato.
- Una routine di attività quotidiana impegnerà il bambino costruttivamente fin dalla nascita.

Fisiologico/comportamentali

- Tutto il corpo è stimolato, compresi il sistema digestivo e nervoso.

Psicologici

- Lo yoga aiuta la reciproca comprensione e comunicazione.
- Aiuta a guarire eventuali traumi legati alla nascita e prepara il vostro bimbo ad affrontare quelli futuri.
- La percezione dello stress positivo indotto dallo yoga, migliorerà la capacità di affrontare le esperienze future.
- Grazie alle attente cure dei genitori, il bambino impara a interagire con gli altri e ad assumere un ruolo attivo nel gioco.
- Il profondo rilassamento insito nello yoga, aiuta i genitori ad affrontare le tensioni che possono crearsi quando nasce un bimbo.

Sviluppare la comunicazione

Fare yoga con il vostro bimbo è un modo di comunicare non solo verbale. La maggior parte di noi deve imparare dai figli come relazionare con loro. Per fare ciò, dobbiamo essere ricettivi alle loro esperienze. Dobbiamo dimenticare gli stereotipi sulla cura dei bambini cercando di immergerci nel loro mondo sensoriale. Ciò che conta nello yoga è comunicare con il vostro bimbo per stimolarlo in maniera ottimale. Ricordatevi sempre che non fate fare yoga «al» bimbo ma «con» il bimbo.

Autocoscienza e ricettività

Preparatevi per lo yoga con il vostro bimbo osservandolo e ascoltandolo, prestando attenzione ai vostri sensi e mettendovi in sintonia con lui. Due semplici posizioni, che fanno da collegamento tra l'aspetto fisico e quello meditativo dello yoga classico, possono aiutarvi nello stabilire una solida base comunicativa.

La posizione della Montagna

La Montagna, o Tadasana, è la posizione classica che inizia e termina una sessione yoga per adulti. Nel momento in cui l'arrivo del nuovo bambino muta tutta la vostra vita, Tadasana vi aiuta ad «ascoltare» voi stesse e a sentirvi presenti per il vostro bambino. A intervalli regolari, dovunque siate, fermatevi e mantenendo una posizione eretta inspirate, espirate e «ascoltatevi».

- Mantenetevi diritte, a piedi uniti o leggermente divaricati, ben appoggiati al suolo. Controllate che la spina dorsale sia ben diritta. Se vi può aiutare, piegate leggermente le ginocchia e appoggiatevi contro una parete per allineare la spina dorsale.
- Rilassate spalle, collo e braccia guardando davanti a voi. Controllate di essere ben allineate su di un asse verticale.
- Respirate liberamente, coscienti del vostro essere tra cielo e terra, e concentratevi sul momento presente. Rilassatevi, cercando di sentire la terra sotto i vostri piedi e visualizzando un nuovo orizzonte di fronte a voi.

Con la pratica, si può praticare Tadasana anche senza stare in piedi, tutte le volte che ci si trova immersi nelle preoccupazioni, invece di essere solo nel «presente».

Il controllo della respirazione

Quando i neonati esprimono il loro disagio attraverso il pianto, sono sensibili alla nostra risposta corporea al loro richiamo. Il bambino, attraverso il pianto, ci chiede di intervenire e fare qualcosa per farlo smettere. Come reazione, gli ormoni dello stress vengono messi in circolo, facendo aumentare la pressione sanguigna, il ritmo respiratorio e la tensione muscolare. Il controllo della respirazione è un mezzo potente per evitare di immagazzinare tensione quando questa si produce.

La prossima volta che il vostro bimbo piange, anche dopo aver mangiato e sembra che nulla possa servire a consolarlo, provate questa sequenza, in qualsiasi posizione.

- Per prima cosa prendete coscienza del vostro respiro: se state accumulando tensione sarà probabilmente breve e affrettato. Espirate profondamente due, tre o più volte pronunciando, se volete, degli «haah».
- Inspirate profondamente, coinvolgendo i muscoli addominali. Se non sapete farlo, ponete una mano sull'addome e, premendolo contro la mano, cercate di sentire i movimenti di espirazione e inspirazione che lo fanno gonfiare e svuotare. Concentratevi sulla respirazione lasciando che tutto il corpo risponda al flusso del vostro respiro, o Vinyasa.

Dopo qualche respiro, ritornando a occuparvi del vostro bimbo, vi accorgerete di comprendere meglio i suoi bisogni. Se vi sentite calme, riuscirete a convogliare una sensazione di pace e sicurezza al bambino.

«Kate e io abbiamo tratto grande beneficio dallo yoga per neonati: capisce quanta attenzione le dedico e mi contraccambia con grandi sorrisi. Lo yoga per neonati ci insegna ad ascoltarli e a capire il loro modo di comunicare con noi.»

Liberarsi dell'ansia

Spesso l'ansia che proviamo per il benessere del nostro bambino è dovuta alla mancanza di esperienza. Molte madri, e ancora più i padri, non hanno mai tenuto in braccio un bambino prima della nascita del loro e si sentono confusi dai consigli che ricevono dai cosiddetti esperti. Così è facile dimenticare che la maggior fonte di gioia per un bambino è semplicemente la comunicazione fisica e sensoriale con i genitori. Se desiderate comunicare con il vostro bimbo attraverso lo yoga è importante eliminare l'ansia immotivata. Essere attenti ai bisogni dei bambini non significa necessariamente lasciarsi prendere dall'ansia: per «sciogliere» una preoccupazione provate a respirare seguendo questa visualizzazione:

- Ogni volta che espirate, provate ad allontanarvi dal cumulo di grandi e piccole preoccupazioni che vi assillano.
- Ogni volta che inspirate, visualizzate il cielo azzurro che sta al di sopra della «nuvola di ansia» che vi opprime. Inspirate e lasciatevi andare così da sentirvi più presenti a voi stesse, come il vostro bimbo desidera che facciate.

Riconoscere le emozioni

L'esperienza della nascita di un bambino, in particolare quella del primo figlio, produce delle emozioni cui nessun genitore nella nostra cultura può dirsi preparato. E tuttavia, dopo il ritorno a casa, colmi di fiori, bigliettini d'auguri e regali, ci si aspetta che ognuno se la cavi da solo.

Il rapporto quotidiano con vostro figlio, attraverso un'interazione giocosa e un relax comune, vi renderà consapevoli di quanto può essere piacevole crescere insieme. Creare un contatto col vostro bambino è la ricetta per «vivere» appieno i primi quattro mesi. I cambiamenti ormonali, la mancanza di sonno e le responsabilità dell'allattamento rendono le neo-mamme particolarmente vulnerabili. Ma anche i nuovi papà sono sottoposti a intensi stress e possono trovare un valido aiuto nello yoga per sviluppare il legame con il loro bimbo. Spesso, anche il rapporto di coppia trarrà beneficio migliorando la capacità di comunicare e di crescere come genitori.

«Lo yoga per neonati ha dissolto tutte le tensioni e lo stress accumulati durante la gravidanza, un parto laborioso e le prime difficili settimane dopo la nascita.»

Calmare la mente

Uno degli obiettivi dello yoga è di stabilizzare il tumulto delle emozioni, di aprire il cuore calmando la mente. È noto che la pratica yoga stimola la produzione di endorfine e di prolattina, ormoni che inducono un senso di appagamento e benessere. Lo yoga con i neonati sviluppa un'intensa interazione fisica tra genitori e figlio, che completa idealmente la quieta intimità del massaggio e del bagno quotidiano. Rilassarsi insieme dopo la pratica yoga, è un altro importante strumento per scoprire o ritrovare la sorgente interiore di «gioia infantile».

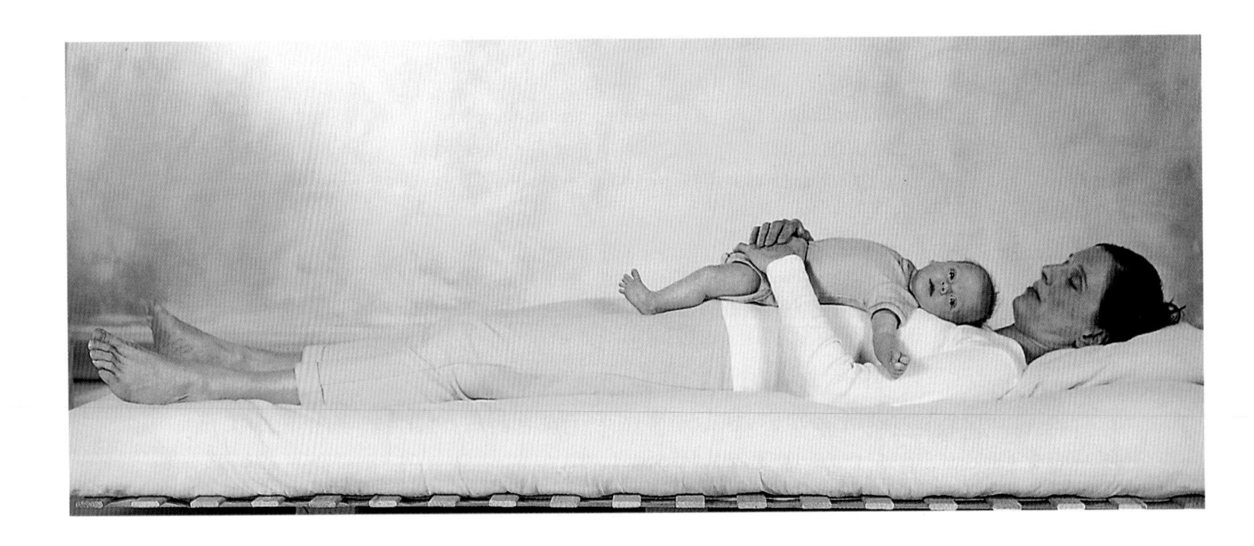

Lo stato di profondo rilassamento che si raggiunge con la pratica dello yoga consente una presa di coscienza dei propri sentimenti. Se state facendo del vostro meglio per essere un genitore perfetto ma, nonostante il parere degli altri, vi sembra di non essere all'altezza; se vi sentite depressa o semplicemente inadeguata al vostro compito, forse avete solo bisogno di «lasciarvi andare» per scaricare lo stress accumulato e prendere coscienza delle vostre emozioni, positive o negative che siano.

Calmarsi con la meditazione

Se vi sentite agitate o non riuscite a riprendere sonno dopo una poppata notturna, forse potrete trovare aiuto nel seguente semplice esercizio.

- Prendete coscienza del malessere che provate: dite silenziosamente ciò che sentite mentalmente e fisicamente. Poi pensate all'emozione opposta, positiva. Non sarà facile, ma cercate di dirne il nome ad alta voce e di ripeterlo più volte.
- Focalizzatevi sul vostro cuore, fonte di nutrimento emotivo per il vostro bimbo. Chiudete gli occhi e, mentre espirate, lasciate che questa emozione positiva si espanda e prenda forma e colore, conservandola nel cuore, prima di riaprire gli occhi.

Questo esercizio non vi servirà a risolvere gravi problemi ma potrà comunque aiutarvi a vederli in una diversa prospettiva, evitando di intrappolare e «macinare» dentro di voi emozioni negative proprio in un momento in cui vi sentite probabilmente più isolate del solito, senza la possibilità di condividere i vostri sentimenti con chi vi circonda.

Principio di auto-riferimento

Lo stato di relax che raggiungiamo con lo yoga ci aiuta a capire come il nostro umore si rifletta sul bambino, e c'insegna a non proiettare le nostre ansie su di lui. Questa capacità di introspezione, di guardare dentro noi stesse ogni volta che l'interazione crea un'emozione, costituisce il principio di auto-riferimento. Riconoscere le emozioni, ci consente di non nasconderle a noi stesse e il nostro bimbo, che è il nostro miglior maestro di auto-riferimento, non rischierà di sentire confusione tra i nostri sentimenti e il messaggio che vogliamo comunicargli. I neonati percepiscono quali sono i veri sentimenti e, se comunichiamo con loro, coglieranno l'onestà dei nostri intenti. Empatia e comprensione sono qualità che i nostri bimbi possono insegnarci.

Le emozioni del neonato
I neonati esprimono le loro emozioni col linguaggio corporeo. Le manine che si agitano in un bimbo appena nato o lo scalciare nei primi quattro mesi sono ovvi segnali. Se osserverete con attenzione il vostro bimbo potrete scoprirne molti altri e imparerete a decifrare i suoi messaggi sempre meglio, rispondendo più facilmente ai suoi bisogni.

La spirale di gioia in espansione

Più gioia saprete comunicare al vostro bimbo, maggiore sarà quella che ne riceverete. Questa è la spirale di gioia in espansione. All'inizio la maternità può essere carica di ansietà, se le pressioni esterne e la carenza di autostima minano la fiducia nelle nostre capacità e la gioia che ci viene dai nostri bimbi. La pratica dello yoga con il vostro bimbo scioglierà quest'ansietà e aiuterà a creare la spirale di gioia, un processo positivo che vi consentirà di condividere gioia e armonia.
Seguite le indicazioni indicate di seguito, partendo dal centro della spirale.

1 Il contatto e il movimento favoriscono la comunicazione tra genitori e neonato

- I neonati associano la stimolazione sensoria alle emozioni quali ad esempio benessere/disagio, piacere/dolore, senso di sicurezza/paura.
- I neonati sono estremamente sensibili alle nostre emozioni e hanno un'intensa risposta emotiva.

5 Con l'espandersi della spirale otteniamo

- Una migliore comunicazione.
- Un senso condiviso di benessere.
- Fiducia.
- Senso del divertimento, cosicché il gioco con il nostro bimbo assumerà un ruolo di grande importanza.
- Un atteggiamento ottimista: la vita deve essere goduta appieno.

4 Nella spirale, i genitori possono trarre piacere dalla beatitudine dei loro bimbi, dimenticando le aspettative di coloro che li circondano. Questa è una delle gioie più belle dell'essere genitori.

2 Attraverso il contatto e il movimento i neonati sperimentano l'aspetto fisico del piacere.

- La consapevolezza del loro piacere si riflette nella nostra gioia.
- I bimbi recepiscono la nostra gioia e ne sono appagati.

3 Questo processo si amplia man mano che arricchiamo il nostro repertorio di esercizi yoga; il rilassamento ci consente di integrare le esperienze positive con il nostro bimbo e di guarire situazioni di stress e piccoli traumi.

6 Attraverso la spirale di gioia i genitori riscoprono

- L'importanza del gioco creativo.
- La magia di trovare che la gioia di un altro è fonte di altra gioia.
- La rispondenza fisica di emozioni positive.
- Che la maternità significa crescere insieme giorno per giorno.
- La corrente d'amore sotterranea che ci sostiene negli alti e bassi che la vita comporta.
- Che dobbiamo accettare di essere presenti, così come siamo, con le emozioni del momento, qualsiasi esse siano.

7 La nostra accettazione quotidiana aiuta la spirale a espandersi ogni giorno di più.

2 Dalla nascita fino a otto settimane
Cullare e fare stretching

Le prime otto settimane di vita sono un momento molto intenso e la pratica dello yoga può aiutare sia voi che il neonato. Base dello yoga è la pratica del rilassamento e la sensazione di sentire il vostro bambino vicino a voi, dimenticando tutto il resto, può essere un bellissimo modo di iniziare: potete praticare lo yoga già dalla prima volta che lo tenete fra le braccia.

Fare yoga con un neonato vuol dire assecondare il suo bisogno di essere cullato e di fare stretching. Deve ingrandire i movimenti che gli sentivate fare quando era ancora dentro di voi, scoprendo la sensazione di allungare la spina dorsale stando supino o prono. Gli è soprattutto necessario essere cullato, con la schiena totalmente sostenuta e le gambe piegate, esattamente com'era prima di nascere. È ormai consuetudine che le mamme lascino il letto il più presto possibile, riprendendo la normale attività e anche i neonati iniziano a essere «attivi» più precocemente: entrambi però devono bilanciare attività e riposo. Gli esercizi illustrati in questo capitolo vi serviranno a raggiungere questo equilibrio nelle settimane che seguono la nascita.

Lo yoga incoraggia il neonato ad abbandonare la posizione fetale allungando la spina dorsale e lo aiuta a sviluppare la muscolatura e a controllare il collo. (I muscoli di un neonato costituiscono solo un quarto del suo peso corporeo, mentre nell'adulto sono circa la metà.). Allungando gli arti, il vostro bimbo sarà incoraggiato ad aprire le articolazioni di anche, spalle, ginocchia e gomiti.

Lo yoga con un neonato include tutte le componenti di una sessione di quello classico: definizione dell'intento, riscaldamento preparatorio allo stretching, posture e movimenti che stimolano gli organi e i principali sistemi corporei e tonificano i muscoli, rilassamento profondo e, se si desidera, meditazione. Una sequenza di movimenti richiede circa 10 minuti, anche se forse vorrete rilassarvi più a lungo. Col tempo, se stabilirete una pratica quotidiana di yoga con il neonato, vi accorgerete che entrerà a far parte di tutte le vostre attività quotidiane, influenzando il vostro modo di tenerlo in braccio, di muovervi o sedervi con lui e, in generale, di relazionarvi con lui.

Per iniziare

Per un buon inizio è molto importante che sia voi che il vostro bimbo vi sentiate a vostro agio e reciprocamente appagati. I punti di contatto tra voi non sono solo le mani e il sostegno del vostro corpo, ma anche gli occhi, la voce e la vostra attenzione. L'esercizio quotidiano per un neonato deve essere moderato, diventando più intenso man mano che cresce. Ogni bambino differisce dagli altri e dovrete anzitutto farvi guidare dalla sua reazione personale più che dall'età. Non è necessario spogliare i neonati per lo yoga anche se, quando fa abbastanza caldo, farà loro piacere essere liberi dalla costrizione degli indumenti. Lasciate sempre nudi i piedini, non solo perché vi consente una presa più sicura ma anche per lasciare che beneficino del massaggio che viene così praticato.

Scegliere il momento più adatto

Non esistono regole sulla scelta del momento migliore. Come forse avete già scoperto, o presto scoprirete, non appena pensate di aver stabilito una routine, è il momento di cedere il passo ad un'altra: siate flessibili e fate yoga ogni volta che potete.
Giorno dopo giorno, lo yoga diventerà parte del vostro modo di interagire con il bambino non solo durante l'esercizio vero e proprio ma anche attraverso una «pratica integrata» del modo di sostenerlo, fare stretching e rilassarsi. Pochi minuti di pratica ogni volta costituiranno la base di un sistema che potrete costruire insieme. Per ottenere i migliori risultati, fate yoga ogni giorno, anche se per pochi minuti. Se voi o il bimbo non vi sentite bene, fate almeno il

rilassamento: sarete più pronte quando potrete riprendere gli esercizi attivi.
Quando ricominciate, datevi due giorni di tempo per tornare al punto in cui avevate smesso. Il momento più indicato per effettuare la routine principale può essere la sera, specialmente se il bimbo è agitato. Se l'abbinerete al massaggio e al bagno, otterrete un effetto calmante che favorirà il sonno. La sera può essere anche il momento più adatto per coinvolgere i fratelli, facendo della pratica yoga una piacevole abitudine per tutta la famiglia. Viceversa, una pratica mattutina può offrire un momento di intimità e unione a un genitore con poco tempo libero.

«Quando ho cominciato a fare yoga con i gemelli, è stato come uscire dalla nebbia e ricucire insieme quelli che erano diventati i brandelli del giorno e della notte.»

Dove

Lo yoga con un neonato può essere fatto dovunque, a casa o fuori: se è possibile, create in casa un angolo riservato, con un materassino e qualche cuscino, sul pavimento o su un futon, se possibile vicino a una porzione di parete vuota da usare per lo stretching. Anche il fasciatoio può andare bene se è a un'altezza confortevole e consente abbastanza libertà di movimento. Se preferite stare sedute, potrete fare yoga appoggiando il bimbo su un tavolo di fronte a voi, sistemandovi a un'altezza comoda. L'uso della stessa coperta o materassino faciliterà nel bambino un senso di continuità e identificazione della pratica yoga.

L'atteggiamento positivo

Quando fate yoga con il vostro bimbo è importante che voi siate nello spirito giusto: talvolta, nonostante tutto sia in ordine, non vi sentite pronte. Non fate forza su voi stesse, non cercate di fare gli esercizi se non vi sentite pienamente coinvolte. Le vostre emozioni sono parte dello scambio con vostro figlio e, specie se siete inesperte, vale la pena aspettare il momento in cui praticare lo yoga per entrare nella «spirale di gioia in espansione» nonostante lo stato d'animo iniziale.

Anche se voi siete pronte, potrebbe non esserlo il bambino: se piange o sembra nervoso, aspettate il momento in cui sarà pronto a fare yoga con voi divertendosi. Cercate di osservare i suoi stati d'animo ed evitate imposizioni. Più farete yoga insieme, più sarete in sintonia.

Il carattere del neonato
Tutti i bambini sono diversi tra loro e cambiano in fretta crescendo. Cercate di armonizzare sempre il vostro stile di pratica yoga alle necessità che vostro figlio ha in quel momento. Talvolta sembrerà apprezzare movimenti più ritmici, qualche altra volta ne preferirà di più lenti. Col tempo diventerete sempre più sensibili al carattere di vostro figlio. Conoscerlo significa accettarlo e amarlo per quello che è.

Posizioni dello yoga per neonati

Il bambino ha bisogno del maggior contatto corporeo possibile. Durante le prime sessioni tenete il bimbo in grembo: sentirà la sicurezza del vostro calore corporeo e sarà a una distanza ottimale da voi. Questa posizione vi consentirà anche di cullarlo e fare stretching.

Dovete sentirvi comode: assicuratevi che la schiena sia ben sostenuta sia, che siate a letto sia che siate sedute su un divano o una sedia.

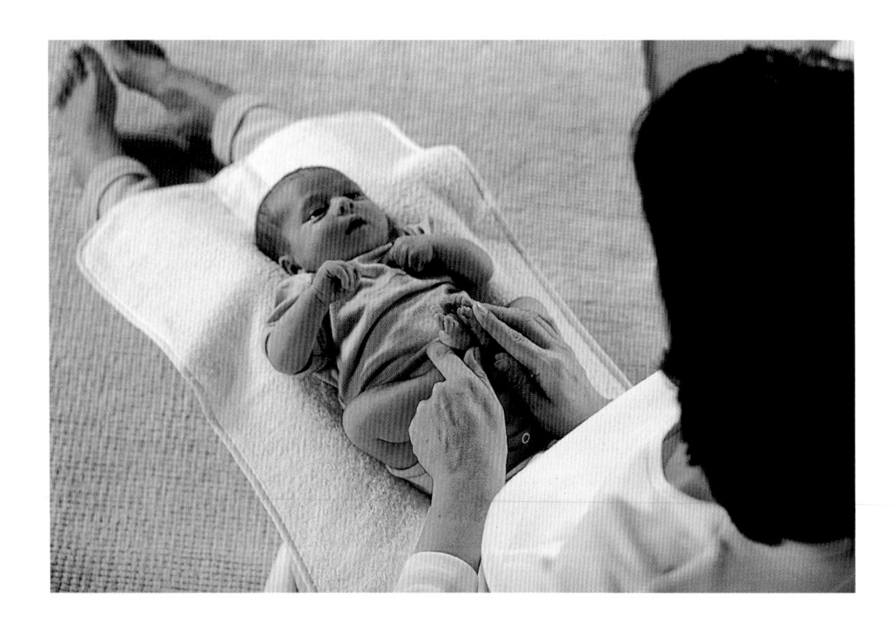

Se preferite sedervi senza appoggiare la schiena, fate attenzione a restare diritta senza sforzo. Se avete avuto un cesareo, cercate di non comprimere la parte inferiore dell'addome per poter respirare liberamente. Usate dei cuscini di diverse grandezze per trovare la posizione ottimale. Le gambe possono essere piegate o distese e i movimenti, durante gli esercizi, dovrebbero partire dalla parte inferiore della schiena in modo da concentrare l'energia nella pelvi durante gli allungamenti e piegamenti delle braccia.

Per la prima routine, scegliete una delle seguenti posizioni che aiutano a migliorare la forma fisica, rinforzando la spina dorsale. (Questo fa parte del vostro yoga).

1 Schiena diritta (appoggiata o no) e gambe distese orizzontalmente: il bimbo sarà di fronte a voi, steso sulle vostre cosce o tra le gambe.
2 Schiena sostenuta, inclinata di circa trenta gradi, e ginocchia piegate ad angolo retto rispetto alle anche. Il bimbo sdraiato sulle vostre cosce con la testa più alta rispetto ai piedi.
3 Stese in avanti.

Mentre siete in una di queste posizioni, cercate di sentire la spina dorsale, i muscoli dorsali e il collo. Tenendo la schiena più diritta possibile, sentite l'effetto che la respirazione profonda ha sui muscoli addominali.

Per un'azione riflessa del collo, probabilmente il bambino non sarà capace di guardarvi a lungo e girerà la testa di lato: continuate a «parlargli» con le parole e le mani anche se sembra ignorarvi. La seconda posizione, col bambino sulle vostre cosce, consentirà un miglior contatto visivo.

Punti da controllare

- La vostra postura è ben salda?
- Avete bisogno di sollevare il bambino su un cuscino appoggiato in grembo?
- Quando appoggiate le mani sul bambino avete il petto e il dorso ben distesi?
- Avete il collo rilassato?
- Riuscite a sostenere la testa del bambino e ad allungare le braccia oltre la sua testa con facilità?

Stabilire il contatto

Prima di iniziare la sessione di yoga o il massaggio combinato allo yoga, è necessario «chiedere il consenso» del bambino, coinvolgendolo attraverso un messaggio fisico che gli faccia capire le vostre intenzioni. Per far questo, effettuate i movimenti descritti in queste pagine, massaggiandogli leggermente l'addome o i piedini o entrambi, seguendo quanto sembra preferire. Secondo diverse tradizioni di «guarigione spirituale» questo serve a sviluppare le energie del neonato. Nel frattempo, parlate al bambino, magari descrivendogli quello che state facendo.

Massaggio circolare dell'addome

Stimola una zona sensibile in molti neonati, perché coinvolge sia la digestione sia la ferita ombelicale. Anche più avanti nel tempo, questo movimento può essere efficace per calmare un bambino quando è agitato.

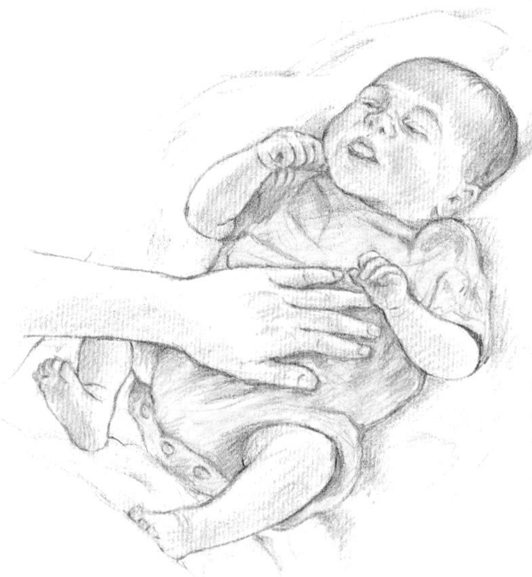

Mettete la mano sull'addome del neonato e mentre controllate la respirazione, inspirando ed espirando profondamente, praticate un massaggio circolare in senso orario, intorno all'ombelico del bambino.

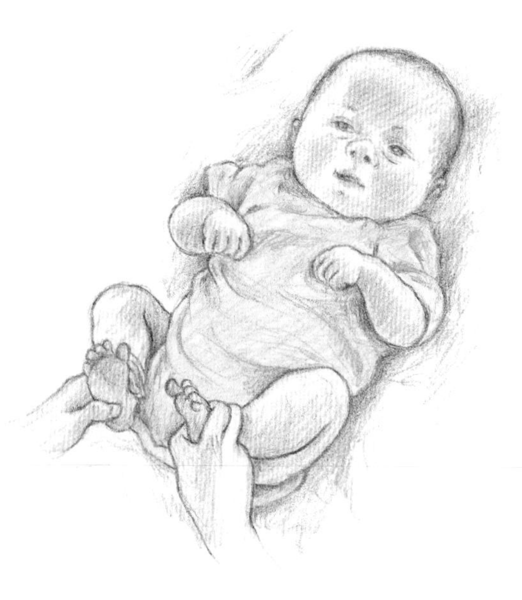

Massaggio dei piedini

Ogni volta che tenete fra le vostre mani i piedini del neonato, stimolate gran parte delle 7000 terminazioni nervose della pianta e favorite il flusso di energia in tutto il corpo. Inoltre, migliorerà la sua circolazione sanguigna nel caso il bimbo abbia spesso i piedini freddi.

Tenete saldamente i piedini e premete dolcemente le piante con i vostri polpastrelli.

Riscaldamento

Se non volete fare un massaggio completo prima di iniziare la sessione di yoga (vedi pagina 30), fate almeno i seguenti movimenti di riscaldamento per stimolare la circolazione del bimbo e prepararlo ai movimenti di stretching in opposizione a quelli «raccolti». Il bambino può essere indifferentemente vestito o spogliato: quel che importa è che impariate a toccarlo e «maneggiarlo» con sicurezza e fiducia. Può essere utile che anche voi facciate un po' di stretching prima di cominciare, in modo da sciogliere braccia e spalle: inspirate e allungate le braccia davanti a voi e poi espirate. Inspirate di nuovo e stendete le mani verso l'alto mentre espirate.

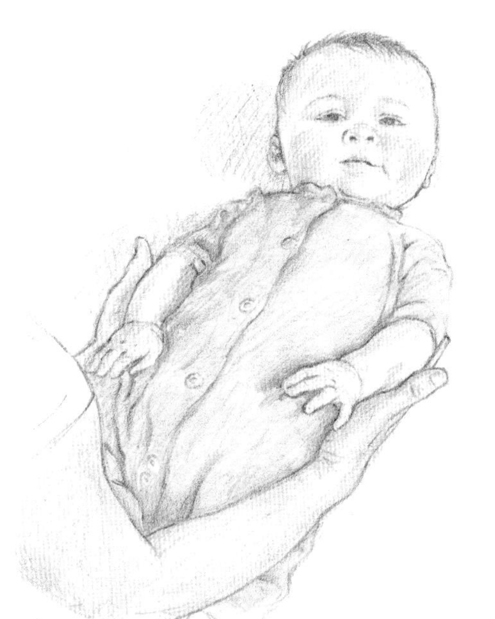

Massaggio di tutto il corpo

È un massaggio leggero ma completo e energetico.

Fate scivolare le mani sotto le spalle del bambino e massaggiate delicatamente lungo la spina dorsale, scendendo progressivamente lungo fianchi, natiche e gambe.

Ripetete il movimento più volte, osservando le reazioni del bimbo. Se piange, smettete e provate più tardi.

Rilassamento attraverso il contatto

È un movimento rassicurante, particolarmente importante per un bambino prematuro o nato con un parto difficile, perché potrebbe associare al contatto il senso di dolore.

Sostenete un braccio del neonato con una mano e picchiettatelo delicatamente con le dita dell'altra mano. Ripetete con voce calma la parola «rilassati» e quando notate che il bambino si rilassa, sorridetegli e baciatelo.

Dal massaggio allo yoga

Un massaggio completo con olio puro di qualsiasi tipo, darà al bambino un grande senso di sicurezza e benessere facendolo sentire amato e coccolato. In alternativa, potete anche fare un massaggio senza olio lasciando il bambino vestito (vedi pagina 29). Se al massaggio farete seguire una sessione di yoga, come nella tradizione indiana, otterrete un effetto cumulativo. Non ci sono regole fisse su come massaggiare il neonato: potete seguire gli esercizi illustrati in queste pagine. Quel che conta è che riusciate a rilassarvi e a condividere questa piacevole esperienza con il vostro bambino.

1 Gambe e piedi

Un modo facile e divertente per iniziare il massaggio e aiutare il bambino a rilassarsi completamente è l'esercizio della «mungitura indiana» delle gambe.

Terminate stringendo una per una le dita e strofinate con il pollice la pianta del piede partendo dal calcagno.

Tenendo una caviglia con una mano, circondate con l'altra la coscia e fatela scivolare lungo la gamba verso il piede, come per mungere. Alternate le mani con movimenti fluidi.

2 Petto

Strofinate il petto con entrambe le mani, partendo dal centro verso i lati e viceversa con un movimento circolare fluido. Con una mano, massaggiate diagonalmente dal centro verso la spalla e da questa al centro.

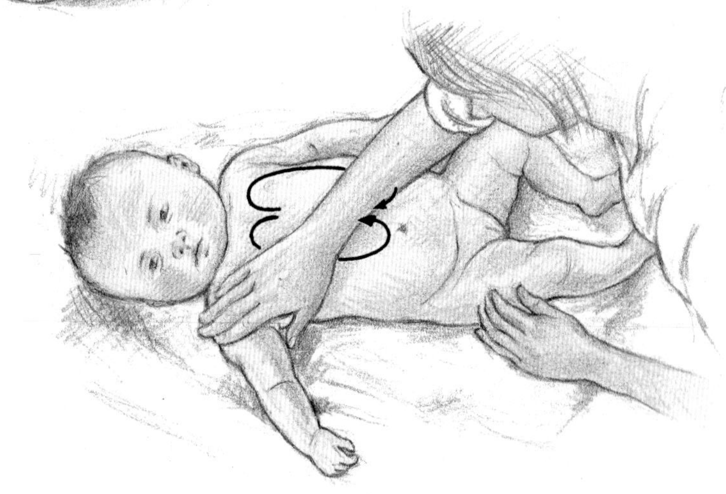

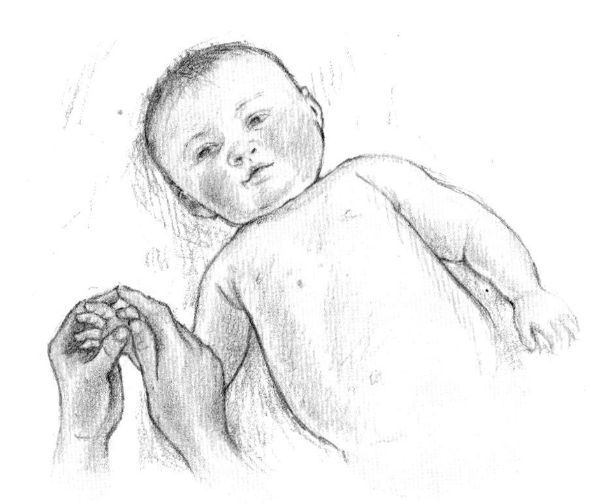

3 Braccia e mani

Tenendo il polso con una mano, massaggiate il braccio dall'ascella verso la mano, come avete fatto per la gamba. Stringete ogni dito e fate, con i vostri pollici, un massaggio circolare al palmo.

4 Viso

Tenete il viso del bimbo fra le mani e massaggiate con i pollici partendo dalla sommità del naso, passando dalle sopracciglia e seguendo le guance e il mento.

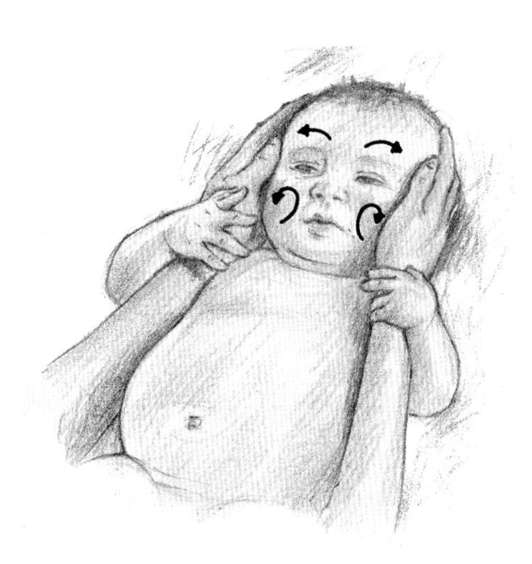

5 Dorso

Con la mano aperta massaggiate molto delicatamente il dorso del neonato, dal collo verso le cosce, con movimenti fluidi e alternati.

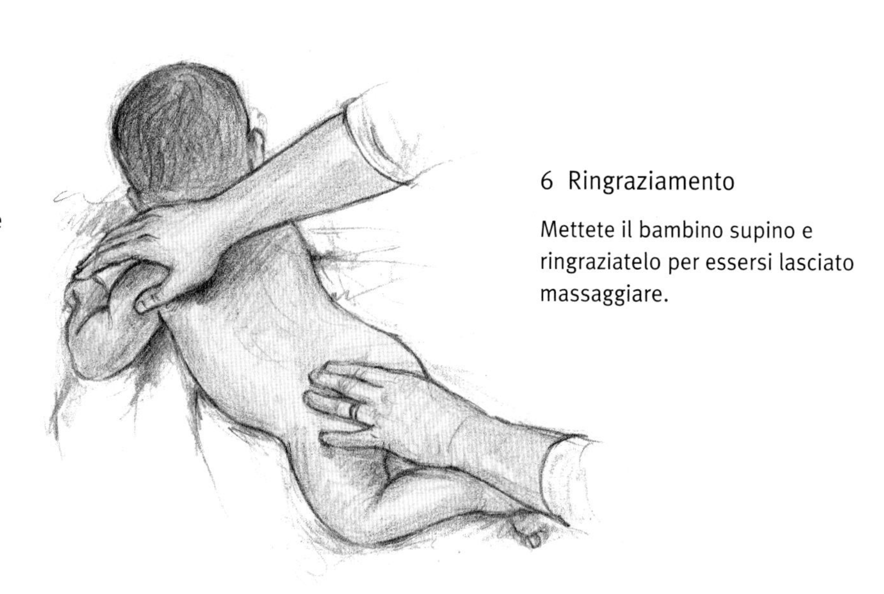

6 Ringraziamento

Mettete il bambino supino e ringraziatelo per essersi lasciato massaggiare.

La prima sequenza di movimenti all'anca

Questa prima serie di movimenti segue i principi dell'Hatha yoga, il cui obiettivo è una maggiore apertura dell'articolazione dell'anca e del ginocchio, per tonificare la muscolatura interna del corpo alla base della spina dorsale e quindi rafforzare e affinare la forza vitale dell'individuo. L'uso cosciente della respirazione facilita questo processo nell'adulto, ma è sorprendente notare come molti neonati la adottino naturalmente.

Attenzione: benché la maggior parte dei neonati non presenti fasci di tensioni, l'elasticità delle articolazioni può variare molto da soggetto a soggetto. Siate caute ed evitate di forzare il movimento. Noterete forse che da un lato l'anca ha più elasticità che dall'altro: questo è un fenomeno abbastanza comune.

1 Ginocchia al petto

Questa postura stimola il sistema digestivo e può provocare un movimento intestinale o qualche rigurgito.

Tenete le gambe del bimbo afferrandole sotto le ginocchia e piegatele aprendole appena oltre le anche. Premete le ginocchia ai lati dell'addome, appena sotto la gabbia toracica.

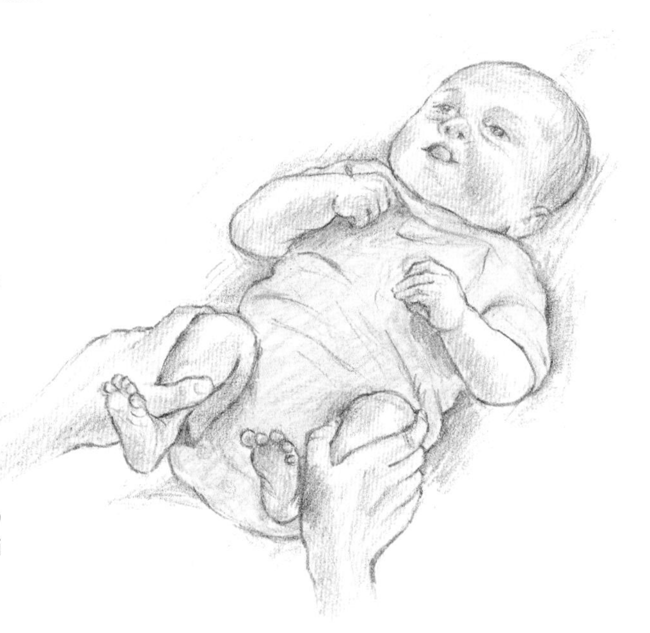

Lasciate andare e ripetete due o tre volte con calma, rilassandovi completamente tra un movimento e l'altro, ma senza staccare le mani.

Se il bambino non è a suo agio o se sentite della tensione addominale, massaggiatelo delicatamente sul ventre e provate il movimento dopo un po'.

2 Ginocchia a destra e sinistra

Questa postura produce una lieve torsione della spina dorsale.

Le mani sono nella stessa posizione dell'esercizio precedente. Portate le gambe piegate e parallele, muovendole da destra a sinistra.

Premete decisamente su ogni lato dell'addome e rilasciate ogni volta che cambiate lato.

3 Stretching con bicicletta

Variate la postura precedente muovendo le gambe con movimenti alternati, dalla gabbia toracica verso di voi, con un lento movimento a bicicletta.

4 Mezzo loto

È la continuazione del movimento asimmetrico.

Tenendo i piedini del bambino, portate il piede sinistro verso l'anca destra, nella posizione del mezzo loto. Premete lievemente sul lato, senza forzare il movimento.

Lasciate andare e ripetete dall'altra parte.

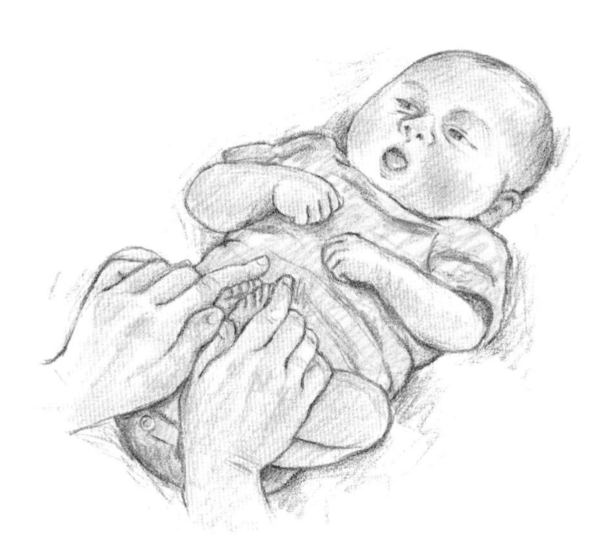

5 Farfalla

È una postura che apre l'articolazione dell'anca.

Tenendo le caviglie con le due mani, avvicinate le piante dei piedini. Spingete dolcemente verso l'addome.

6 Chiusura delle anche

Tenendo le caviglie come nell'esercizio precedente, avvicinatele fra loro tirandole leggermente verso di voi. Ripetete il movimento lentamente due o tre volte; quando spingerete indietro le ginocchia, il bambino chiuderà gli occhi.

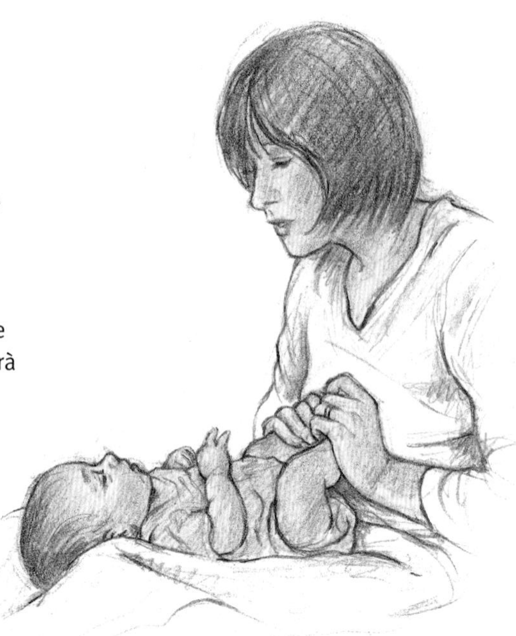

Prima dell'ultimo movimento della sequenza potete, se non l'avete già fatto, fare il massaggio illustrato a pagina 29.

7 Stretching e rilassamento delle gambe

Questa postura farà capire al bambino la differenza tra stretching e rilassamento in un movimento combinato.

Sempre tenendo le caviglie, alzate leggermente le gambe allungandole contemporaneamente e lasciatele poi ricadere.

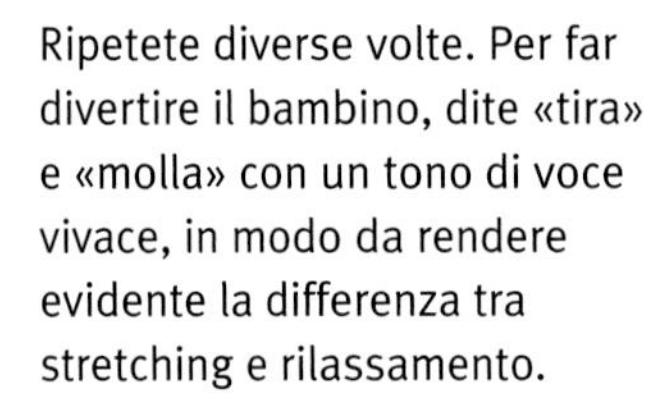

Ripetete diverse volte. Per far divertire il bambino, dite «tira» e «molla» con un tono di voce vivace, in modo da rendere evidente la differenza tra stretching e rilassamento.

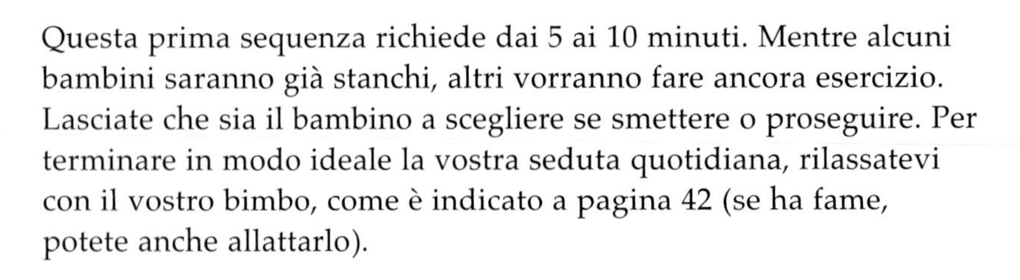

Questa prima sequenza richiede dai 5 ai 10 minuti. Mentre alcuni bambini saranno già stanchi, altri vorranno fare ancora esercizio. Lasciate che sia il bambino a scegliere se smettere o proseguire. Per terminare in modo ideale la vostra seduta quotidiana, rilassatevi con il vostro bimbo, come è indicato a pagina 42 (se ha fame, potete anche allattarlo).

Come i neonati reagiscono allo yoga

La pratica dello yoga con il vostro bambino lo renderà più precoce, potenziandone il normale processo di sviluppo.

Risposta fisica

Nei primi sei mesi di vita, la pratica dello yoga sembra facilitare il passaggio dal movimento riflesso a quello cosciente. Questo si deve forse a una migliore coordinazione dei muscoli dorsali che vengono rafforzati dall'esercizio quotidiano. La capacità di stirarsi e di dare calci sono fattori indicativi di questa transizione e vi accorgerete che dopo gli esercizi il bimbo cercherà di stirarsi con tutto il corpo. I movimenti fetali che continuano dopo la nascita, cedono gradualmente il passo a quelli più ripetitivi e se lo farete esercitare con la sequenza per le anche, il bambino comincerà più precocemente a scalciare e «pedalare». La sequenza di «Sostegno in maniera rilassata», indicata a pagina 36 favorisce il rafforzamento dei muscoli del collo. Appoggiato a pancia in giù, cercherà di girare e alzare la testa più precocemente.

Risposta emotiva

I neonati sono grandi comunicatori. Più lo impegnerete in un rapporto di relazione, maggiore sarà la sua risposta. Il punto focale di un neonato è a circa 30 centimetri, che corrisponde alla distanza del vostro viso di fronte a lui durante gli esercizi di yoga. Il bambino vi osserva attentamente e sarà deliziato nel vedersi ricambiato, specialmente se vi vedrà sorridere mentre gli parlate.
La vostra voce infatti è un'altra fonte di piacere. Con il passare del tempo, vi sentirete sempre meno impacciate quando gli parlate o cantate durante gli esercizi yoga. Guardate come osserva le vostre labbra, cercando quasi di rispondervi.
Altro modo di incoraggiare la comunicazione tra voi è quello di schioccare sonoramente la lingua contro il palato quando siete di fronte a lui. Aspettate un attimo e ripetete più volte. Probabilmente il bimbo cercherà di ripetere il suono, se non subito più tardi o nei giorni seguenti: alcuni bambini schioccano la lingua per più di mezz'ora. L'idea che i neonati non siano in grado di concentrarsi a lungo non è confermata dall'esperienza comunicativa che si stabilisce attraverso lo yoga.
I neonati sono molto sensibili alle smorfie e sembrano divertirsi molto. Queste scatenano il loro senso dell'umorismo e sono all'origine del loro primo schioccare di lingua. Poco dopo la nascita, il neonato è già conscio della differenza tra un viso serio e uno sorridente. Ricordatevene sempre e cercate di giocare con espressioni contrastanti durante gli esercizi.

Sostenere in modo rilassato

Punti di appoggio per posizioni di presa in maniera rilassata

- Il vostro sterno e le scapole superiori
- Il vostro braccio che sostiene il petto del bambino
- La spina dorsale del bambino appoggiata contro di voi con la testa allineata
- La vostra mano di sostegno al bambino per stare seduto.

Un concetto centrale dello yoga per i neonati è quello del «tenere in modo rilassato» ed è importante usare questa posizione quando il bambino è ancora leggero e facile da reggere, prima che diventi consuetudine sostenerlo in modo diverso. Quando vi sarete abituate a tenerlo in modo rilassato, vedrete che anche quando il bambino diventerà più pesante, saprete trovare il modo di portarlo senza sforzare la schiena.

La presa in maniera rilassata, oltre che essere salutare per voi, consente al bambino di rilassarsi pienamente e di «godersi la vita». Di conseguenza, voi potrete scaricare qualsiasi tensione possiate avere. Nelle società in cui le madri portano i neonati sempre con sé, adottano istintivamente questo modo di tenerli. Del resto, il principio di rilassamento attraverso l'azione si applica a tutto lo yoga.

Presa base a pancia in giù con rilassamento

Solo recentemente i genitori occidentali hanno imparato a tenere i neonati sostenendoli a pancia in giù: questa posizione è molto gradita alla maggior parte dei bambini e sembra avere un effetto tranquillizzante. La pressione esercitata sull'addome è terapeutica specialmente per chi soffre di coliche (vedi pagina 132).Per poter sostenere il vostro bimbo a pancia in giù, dovete per prima cosa rilassare le spalle. Se lo tenete troppo alto, le vostre spalle saranno in tensione. Cercate la posizione ideale per voi e per il bambino stando sedute. La presa rilassata è una «posizione di sicurezza» che garantisce al neonato la massima libertà e stabilità grazie al sostegno delle due mani e di vari punti di appoggio. Differisce da quelle in cui il bambino è davanti o appoggiato di fronte a voi.

Potete adattare la presa in modo da tenere il neonato quasi diritto in una posizione in cui è seduto e rilassato contro il vostro corpo, o trasversalmente rispetto a questo, con la schiena contro la vostra gabbia toracica e girato verso l'esterno. Negli esercizi yoga in piedi verranno adottate diverse varianti di questa posizione di sicurezza per tutto il primo anno di vita del bambino.

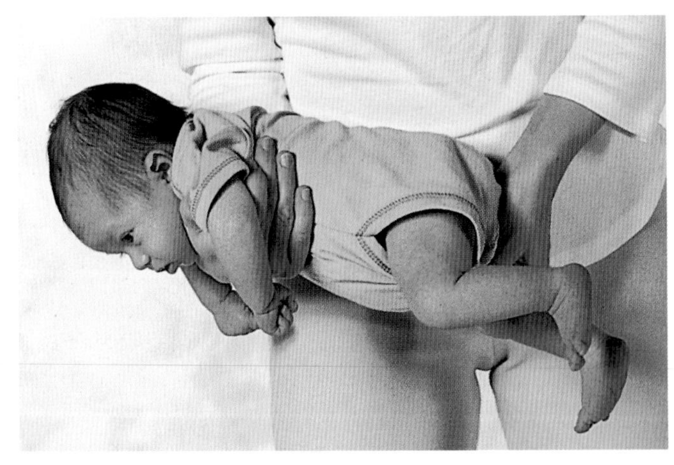

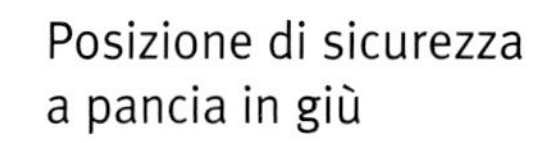

Posizione di sicurezza a pancia in giù

Con il bambino in posizione seduta (vedi pagina 36), sostenetelo contro la vostra gabbia toracica. Fate scivolare il petto del bambino su una delle vostre mani e stringete con decisione tra indice e pollice la parte superiore del suo braccio.

Tenete con l'altra mano il bambino tra le gambe per reggere l'addome. Giratelo a pancia in giù, badando che testa e spina dorsale siano allineate. Per sostenere ancora meglio la testa, fatela appoggiare sul vostro avambraccio.

Variante girata

Tenendo il bambino in questa posizione rilassata a pancia in giù, giratelo all'insù verso di voi (dandogli magari un bacio) e rigiratelo di nuovo all'ingiù. All'inizio, provate questo movimento stando sedute: iniziate facendolo girare con molta cautela e, se il bimbo dimostra di divertirsi, allargate il movimento

Estensione della presa in maniera rilassata

Quando vi sentirete più sicure, potrete tenere il bambino in modo più sciolto, senza tenere il braccio tra indice e pollice.

Man mano che il collo del bimbo acquista forza, provate a sostenere solo il petto, mentre si aggrappa al vostro braccio, pronte a dare un sostegno addizionale con l'altra mano a mo' di sedia.

In questa posizione, la maggior parte dei bambini si rilassa completamente come farebbe un gattino trasportato dalla mamma. Osservate le reazioni del vostro bimbo e provate dei sistemi di sostegno alternativi su questa falsariga.

Attenzione: quando fate le prime prove, per maggior sicurezza, sedetevi su un letto o un tappeto soffice.

Primi esercizi di equilibrio

L'equilibrio ha grande importanza in molte posizioni dello yoga classico, non solo per lo stretching della gamba e dei muscoli dorsali ma anche per fissare il centro di energia del corpo. Gli esercizi di equilibrio, che per i neonati devono essere eseguiti con la massima delicatezza garantendo un sostegno sicuro, hanno un effetto positivo sul sistema nervoso. Potete provare la piccola sequenza illustrata in qualsiasi momento libero. Iniziate stando sedute e provate in piedi solo quando vi sentirete più sicure.

Attenzione: all'inizio, per fare pratica, potete lasciare il bambino vestito invece di spogliarlo.

1 Presa con sostegno e altalena

Questa posizione serve a rinforzare la spina dorsale del neonato dal sacro al collo, e a migliorare il coordinamento dei muscoli dorsali. Usate la vostra mano più forte (la sinistra se siete mancine), come sostegno sotto il sederino del bambino.

Stando in piedi, in ginocchio o sedute (in questo caso il bambino sarà appoggiato trasversalmente sul vostro grembo), con la vostra mano più forte davanti al bambino, sostenete con l'altra la testa, facendo attenzione a sostenere anche la base del collo. Questa è la presa con sostegno sotto il sederino per esercizi di equilibrio con il neonato.

Quando vi sentite a vostro agio, mettete la mano forte sotto il sedere del bambino e sollevatelo un poco in modo che sia in equilibrio sulle vostre mani. Esercitatevi a tenerlo il più diritto possibile, diminuendo gradatamente il sostegno alla testa, ma tenendo sempre la mano in posizione.

Mantenete la posizione per qualche momento prima di passare a quella seguente o di appoggiarlo di nuovo a voi.

2 Mini caduta

Alcuni neonati troveranno questa caduta subito divertente, mentre altri allargheranno le braccia con un movimento riflesso, detto riflesso Moro, se la caduta li spaventa. Più il bambino si sente stabile, meno si spaventerà. La mini caduta tuttavia, oltre ad essere un segnale, servirà a renderlo più sicuro e talvolta può essere un metodo efficace per consolarlo.

Tenete il bambino in posizione di sostegno sotto il sederino come prima, girato verso l'esterno e con la vostra mano più debole a sostegno del petto, come illustrato. Alzatelo pian piano con la mano sotto il sederino lasciandola poi ricadere un po', mentre continuate a sostenerlo nello stesso modo. Se il bambino si diverte, ripetete una o due volte facendo attenzione ad evitare movimenti bruschi.

Attenzione: sostenete con il vostro braccio il collo e la testa del bambino, da una parte all'altra del suo torace.

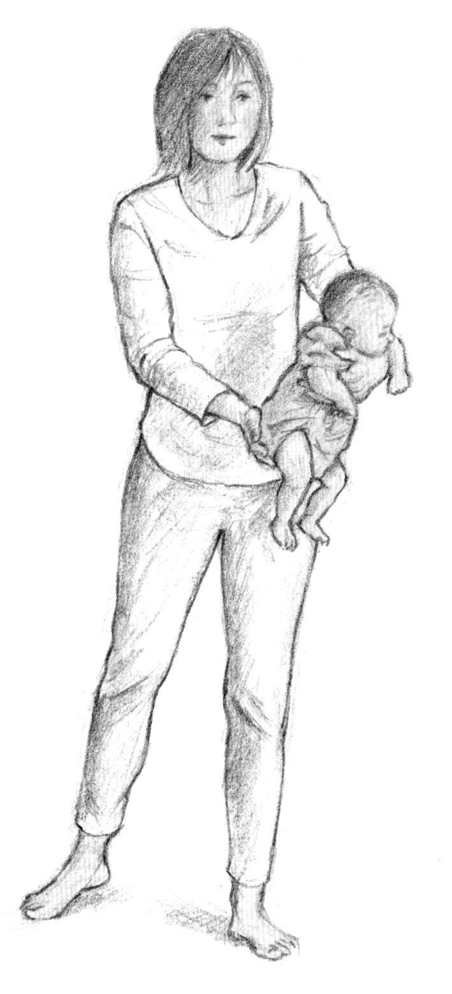

3 Mini altalena

I bambini amano i movimenti altalenanti e sembra che ne traggano molto giovamento. Questa posizione è un'estensione della presa con la mano che regge il bambino seduto.

Nella stessa posizione, dondolate dolcemente il bimbo avanti e indietro con un movimento altalenante, aumentandone l'ampiezza se il bambino sembra divertirsi.

Prese alternative di rilassamento

Prima imparerete a tenere il bimbo comodamente in diverse posizioni e prima vi sentirete libere nei movimenti, anche quando sarà diventato più pesante. Il modo ideale è di portarlo alternativamente da una parte e dall'altra del corpo, per simmetria. Ma, se terrete il bambino nel modo descritto più avanti, non dovreste risentirne anche se usate più un lato dell'altro.

Cullare in posizione di presa rilassata, a pancia in giù

Una posizione che può indurre il neonato ad addormentarsi se lo si abitua fin dai primi giorni. Vi permette anche di rilassarvi mentre lo tenete in braccio.

- Dalla posizione di sicurezza, avvicinate a voi il bambino e con la mano che sostiene il sederino arrivate a toccare l'altra mano, in una posizione più rilassata rispetto a quella di sicurezza. Con la testa appoggiata al vostro braccio piegato e sostenuto saldamente dalle vostre mani, il bimbo potrà addormentarsi tranquillo. Se lo cullerete dolcemente, l'effetto calmante sarà ancora maggiore.

Presa di sostegno diritto

Se per sostenere il bambino diritto lo tenete troppo in alto rischiate di affaticare il collo e le spalle. Troverete senz'altro più comodo appoggiare tutto il corpo del bambino al vostro petto e alla spalla. A molti bambini piace addormentarsi in questa posizione.

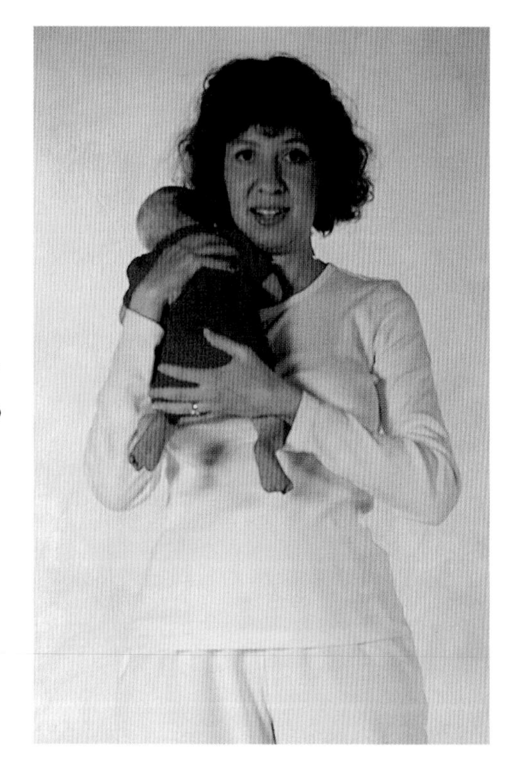

- Iniziate dalla presa in cui il bambino è seduto e rivolto verso di voi, e sostenete con le mani la testa e il sedere.
- Ora avvicinatelo al vostro corpo in modo che la testa appoggi sulla spalla o appena più in basso. Usate il braccio più debole per sostenere schiena e spalla del neonato, mentre la mano più forte sorregge il sederino.
- Potete anche esercitarvi in piccole cadute, staccandolo da voi e riavvicinandolo con delicatezza.

Un errore comune a molte mamme quando portano il neonato nel marsupio è di tenerlo troppo in basso. Questo vi fa tenere una postura errata, con le spalle in avanti e può causare mal di schiena. Regolate la posizione in modo che la testa del bimbo appoggi al centro del vostro petto, appena sotto la gola, in modo da sostenere il peso con lo sterno.

Presa rilassata in movimento

Al vostro bimbo piacerà molto essere tenuto in braccio da voi se vi sentirà distese e a vostro agio: vale la pena imparare a «camminare rilassate», controllando la postura, il respiro, il ritmo e il movimento

Sollevare il bambino

Vi abituerete anche a sollevare con facilità il neonato. Se lo girate, con un braccio attorno al petto e l'altra mano pronta a sostenerlo sotto il sedere, potrete portarlo in questa posizione fino a che comincia a muovere i primi passi. È facile sollevare il neonato nella posizione di sicurezza, con la testa sollevata per poterlo trasportare o cullare.

Allineamento della spina dorsale

Mentre portate il bambino, quando vi sembra di essere in una posizione comoda e rilassata, provate a controllare l'allineamento della vostra schiena. Guardatevi allo specchio o, meglio ancora, mettetevi con la schiena contro lo stipite di una porta aperta, piegando leggermente le ginocchia in modo da appoggiare la schiena ben diritta contro la porta. I novelli genitori tendono a camminare stando chinati in avanti per meglio proteggere i loro piccoli. Al contrario, i neonati si sentono più sicuri se camminate a petto ben aperto e con le spalle all'indietro.

Ritmo e movimento

Ognuno di noi ha un suo ritmo di camminata ma spesso la responsabilità che sentiamo nel tenere in braccio un neonato ce lo fa perdere. Sarà sufficiente concentrarsi sul proprio centro di gravità. Sentite come siete diritte e fate attenzione alle simmetrie: appoggiate il peso un po' più sulla parte esterna del piede se le arcate plantari si sono indebolite durante la gravidanza. Riscoprite il piacere di camminare, appoggiando bene a ogni passo l'intera pianta e impegnandovi a usare i muscoli dorsali per riallineare la spina dorsale.
Quando portate il bambino in posizione «rilassata», egli seguirà i movimenti del vostro corpo e questo lo divertirà. Camminare nel modo corretto mentre portate il bambino farà bene anche a voi: aiuta a rinforzare i muscoli dorsali e a riguadagnare – o sviluppare – una postura corretta dopo la gravidanza. Vi sentirete rinvigorite e il maggior apporto di ossigeno contribuirà a rialzare il morale. Non è necessario fare grandi percorsi: anche andare avanti e indietro nel soggiorno o in giardino è sufficiente all'inizio. Il controllo della respirazione vivacizzerà ancor più la vostra passeggiata.

Il rilassamento con un neonato

Il rilassamento, allo stesso modo dell'attività, è parte integrante dello yoga.
Nello yoga con un neonato, la distensione deve inizialmente partire da voi. Osservate il suo modo di rilassarsi quando sta per addormentarsi. Con l'esperienza imparerete a condividere questa pratica ogni volta che ne sentite la necessità. Il rilassamento classico dello yoga è Shavasana, o la posizione del cadavere, che favorisce un riposo profondo.

Rilassare cullando

È un movimento facile per chi non ha esperienza di yoga. Scegliete un momento in cui il bambino sembri tranquillo e appagato, come dopo la poppata.

- Sedute comodamente, prendete in braccio il neonato e tenetelo nella stessa posizione in cui lo cullate. Controllate di avere spalle e collo rilassati. Fate dondolare leggermente il bambino da destra a sinistra e poi, sostenendolo contro di voi saldamente, ruotate leggermente la spina dorsale. Se necessario, sostenetelo sulle vostre ginocchia con uno o due cuscini.
- Guardate il bambino mentre prendete coscienza dell'area del vostro cuore vicino alla quale si trova il neonato. Mentre espirate, abbandonate ogni tensione residua nelle spalle e nelle braccia e concentratevi sul battito dei vostri cuori vicini.
- Potete rilassarvi allo stesso modo stando in piedi o camminando lentamente in cerchio e in senso antiorario (vedi anche pagine 66-7 sul rilassamento mentre si cammina).

Rilassamento durante la poppata

L'allattamento al seno favorisce la produzione di ormoni che vi aiutano a rilassarvi. Se vi è possibile, approfittate di questi processi naturali per i due mesi successivi alla nascita. La produzione di latte sarà facilitata se riuscirete a rilassarvi prima e durante la poppata. Questo può essere il momento migliore per il relax del neonato e magari anche per quello di qualche fratellino più grande. L'esercizio illustrato sfrutta la respirazione come mezzo per scaricare le tensioni fisiche e mentali.

- Mettetevi comode e respirate profondamente più volte. Mentre espirate, svuotate il più possibile l'addome e lasciate che le preoccupazioni abbandonino la vostra mente.

- Mentre inspirate cercate di sentire il flusso del «prana», la forza vitale universale attivata dallo yoga, che riempie e ammorbidisce i vostri seni. Respirate in modo lento e ritmato mentre il bimbo comincia la poppata.

«Lo yoga per neonati ha avuto un ruolo fondamentale nella formazione del carattere calmo e fiducioso di Frankie. Sono convinta che, insieme al massaggio, abbia rinsaldato il nostro legame fisico che, a causa di un parto cesareo, era molto carente all'inizio.»

La respirazione profonda, portando aria alla base dei polmoni, aiuta i muscoli intercostali della fascia mediana a espandersi e rende più facile sostenere comodamente il neonato senza curvare le spalle. La pressione che il diaframma esercitava sulle costole durante la gravidanza è scomparsa e le costole sono di nuovo libere di alzarsi e abbassarsi durante la respirazione.

La posizione del cadavere

Anche se conoscete già lo yoga, seguite i consigli che seguono, poiché rilassarsi con un neonato è diverso dal rilassamento da sole. Sdraiatevi comode su un materasso rigido o sul pavimento, se preferite con le ginocchia piegate o con un cuscino sotto la testa in modo da sentirvi ben sostenute. Tenete a portata di mano una coperta in caso aveste freddo.

- Sdraiatevi tenendo in braccio il vostro bimbo oppure sdraiatevi tenendolo al vostro fianco e appoggiatelo delicatamente sul vostro addome in un secondo momento. Il bimbo può stare sulla schiena o sulla pancia, come preferisce. Espirate profondamente un paio di volte per lasciare andare ogni tensione e chiudete gli occhi.
- Se non vi sentite tranquille a lasciare il bimbo senza sostegno, tenetelo leggermente con le braccia in modo da poter chiudere gli occhi. Cercate di sentire la differenza tra quando il bambino era dentro di voi e ora che è là, fuori, eppure così vicino.
- Provate a rilassarvi prendendo coscienza del vostro io più intimo e riposatevi il più a lungo possibile.
- Ritornate allo stato attivo, usando almeno lo stesso tempo che avete dedicato al rilassamento. Se il bambino comincia a piangere, fate un paio di profondi respiri per uscire dal rilassamento e consolatelo.

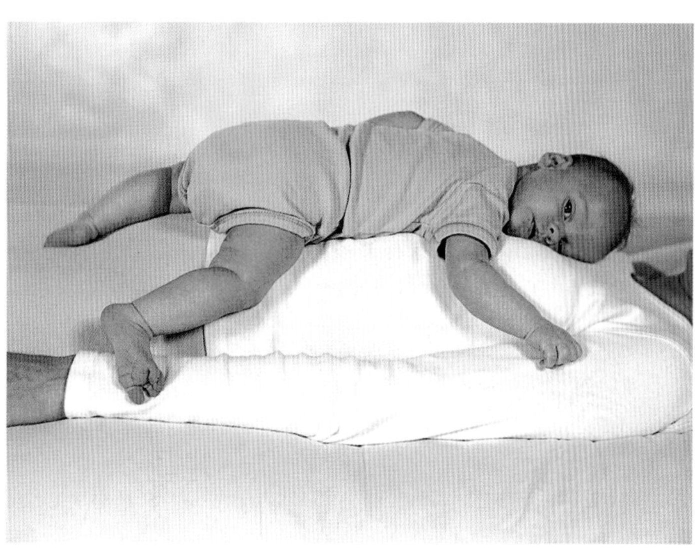

3 Dalle otto settimane ai quattro mesi
Forza e coordinazione

In due mesi, il vostro bimbo si è trasformato: non è più un esserino indifeso ma un individuo capace di interagire sempre meglio con voi e col mondo, e di controllare sempre meglio il suo corpo. Può essere di temperamento contemplativo o pronto all'azione. Nei prossimi due mesi, starà a voi, nel rispetto della sua individualità, bilanciare le fasi di attività e riposo, alternando una maggior varietà di posizioni yoga.

Tutti i neonati seguono lo stesso schema di sviluppo fisico: ognuno però con ritmi diversi, acquisendo sempre maggiori capacità con tempi diversi. È buona regola evitare confronti con altri neonati o raffrontare tabelle e schemi. L'amore senza condizioni implica l'orgoglio per il bambino in sé e non per i suoi successi. Tuttavia le vostre lodi per l'ultima prodezza saranno fonte di grande gioia.

Uno studio dei rapporti con i genitori in altri tipi di culture, mostra chiaramente che molto prima di essere capaci di reggersi seduti, i neonati sono in grado di aggrapparsi ai genitori piuttosto che essere sorretti. Già dopo circa otto settimane, i neonati che vengono portati sulla schiena, devono imparare ad aggrapparsi mentre le madri camminano su terreno accidentato, o si chinano per il lavoro nei campi. L'abitudine occidentale di tenerli legati in vario modo a sedili per neonati, per contrasto, li spinge a essere passivi.

La capacità del neonato di aggrapparsi è di fondamentale importanza per molte delle classiche posizioni yoga qui adattate per bambini tra le 8 e le 16 settimane. Le posture sono studiate in modo da migliorare lo sviluppo generale secondo i principi yoga. Si tratta di movimenti fluidi più adatti ai neonati rispetto a quelli statici. In questa fase, i neonati adorano le sequenze ma detestano la monotonia: per questa ragione cercate di apportare piccole varianti alle vostre sedute di yoga, introducendo piccoli giochi, canzoncine e rime e, soprattutto, del ritmo.

Con l'aumentare della capacità di coordinazione, il vostro piccolo scoprirà il suo giusto equilibrio tra calma ed eccitazione.

Lasciate che sia il bambino ad aggrapparsi a voi

L'idea di incoraggiare il bambino, così piccolo e vulnerabile, ad aggrapparsi a voi può sembrare strana in un primo tempo. Questo non comporta però negare il sostegno al vostro piccolo: dovete solo sempre garantirgliene uno minimo in modo da consentirgli di rafforzarsi ed essere più consapevole del suo corpo. Questo può essere fatto in ogni momento della giornata, quando il bambino è sveglio: dovrete essere attente e pazienti mentre farà i suoi «esperimenti» e si rafforzerà.

Seduti o in ginocchio

Tutte le volte che siete sedute sul letto o sul pavimento con il bambino, fatelo stare seduto tra le vostre gambe, con la testa e la schiena contro il vostro corpo. Se volete, unite le piante dei vostri piedi nella posizione della «farfalla» in modo da circondarlo meglio. Cercate di avere fiducia e di non tenerlo con le mani: il massimo che può capitargli è di rotolare sul fianco contro la vostra coscia. Se ciò accadesse, sollevatelo e risistematelo contro di voi. State tranquille: non lo state forzando a stare diritto prima del tempo: la schiena e la testa sono perfettamente sostenute mentre gli comunicate un senso di libertà cui si abituerà presto. Quando il bambino avrà acquisito più famigliarità con lo yoga, potrete far sedere anche lui nella posizione a «farfalla». State facendo yoga insieme!

Dopo avere imparato la posizione seduta, se vi sentite comode potete inginocchiarvi sul pavimento appoggiando il bambino sulle ginocchia e contro il vostro corpo. State pronte a sostenerlo se dovesse cadere di fianco: questo succederà sempre più di rado man mano che diventa più forte. Il bambino sta imparando a sorreggersi a voi, libero da costrizioni.

In piedi e camminando

Anche mentre siete in piedi o camminate, potete incoraggiare il bambino ad aggrapparsi a voi. Sembra una contraddizione di termini, visto che siete voi a portarlo, ma ci sono modi di sostenere il bambino che lo incoraggiano ad aggrapparsi a noi mentre ci muoviamo. Nelle culture occidentali questa è una pratica poco usata e i neonati sviluppano la capacità di tenersi solo nel secondo semestre di vita o anche più tardi.
A tutti i bambini si può insegnare ad aggrapparsi più precocemente quando

sono tenuti in braccio e, prima cominciate, migliori saranno i risultati.
Quando cullate il vostro bimbo, o lo reggete contro di voi, sostenetelo in modo rilassato in modo da garantire un sostegno sicuro ma al tempo stesso renderlo consapevole del proprio corpo in relazione al vostro. Più sarete rilassati, più sarà facile per il bimbo tenersi a voi ed essere sostenuto. Inizialmente potrà reagire aprendo le manine con un movimento riflesso, per poi afferrare i vostri abiti o capelli. Se continuate a provare, facendo per esempio delle mini-cadute (vedi a pagina 39), lo incentiverete fisicamente a tenersi a voi mentre lo sostenete. Questo non significa far mancare un sostegno rassicurante; al contrario, il suo coinvolgimento attivo creerà un maggior legame fra voi.

Dalla posizione di sicurezza al sostegno con la mano

Quando avrete preso confidenza con la posizione di sicurezza a pancia in giù e con l'estensione della presa rilassata (vedi pagine 36-7), potete usare la mano stesa sotto il petto del bambino. Ciò garantirà un sostegno adeguato e maggior libertà di movimento. All'inizio, fate molta attenzione e restate su una superficie morbida. Questa posizione consente un migliore allungamento del dorso del bambino, mentre la vostra mano fa da «sedia» d'appoggio. Potete alternare il sostegno sulle due mani, appoggiando il bambino ora sulla mano che funge da sedia ora su quella che sostiene il petto. Questo movimento ondeggiante è la base di tutti gli esercizi di equilibrio che seguono.

Per riassumere

A ogni seduta di yoga:

- Mettetevi comode, consapevoli del vostro corpo e con un atteggiamento positivo;
- Fate sdraiare il neonato sulla schiena di fronte a voi, sulle vostre ginocchia, tra le vostre gambe, sul letto o sul pavimento;
- Iniziate sempre stabilendo un contatto con il bambino (vedi a pagina 28), per comunicare la vostra intenzione di iniziare;
- Aumentate gradatamente l'ampiezza, la velocità e la pressione dei vostri movimenti, facendo attenzione a che il bambino dimostri di divertirsi.

Controllate la postura

Durante gli esercizi in piedi, controllate di avere:

- La schiena diritta
- Il bacino leggermente ruotato in avanti
- Le ginocchia un po' flesse
- I piedi leggermente divaricati
- Le spalle rilassate
- Il collo allungato con il mento abbassato

La seconda sequenza per le anche

È una versione più energica della precedente illustrata alle pagine 32-3, con ulteriori esercizi. Praticata tutti i giorni, serve a stimolare il sistema digestivo e ad alleviare problemi di gas intestinali e stitichezza. Aiuta anche a migliorare l'elasticità e l'apertura dei legamenti. Tonifica i muscoli pelvici dell'addome e della schiena. Stabilite il contatto con il bimbo come descritto a pagina 28 e, prima di iniziare la sequenza, praticate il massaggio, intero o parziale.

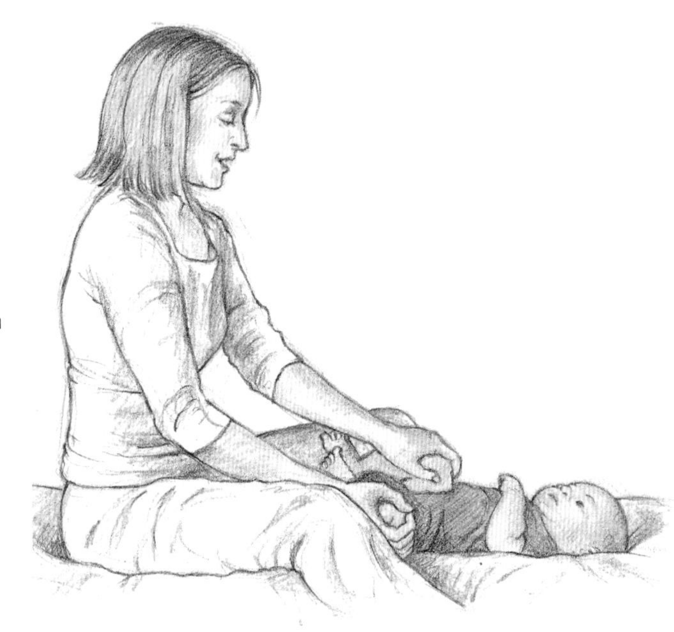

1 Ruotare le ginocchia

Tenendo le ginocchia del bambino piegate e il più possibile vicine al corpo, disegnate dei cerchi prima in un senso e poi nell'altro. Iniziate con movimenti piccoli, aumentando la rotazione quando il bambino si sarà abituato.

2 Mezzo loto acrobatico

Quando l'apertura delle anche sarà diventata più elastica, spingete leggermente il piedino verso l'anca opposta e quindi verso l'ascella opposta. Se il bambino è molto elastico, il piede può arrivare a toccare il naso o la fronte.

Attenzione: non forzate mai questo movimento. Se sentite qualche resistenza, interrompete subito.

3 Farfalla

Avvicinate le piante dei piedini, aprendo il più possibile le anche. Tenendo i piedi con una mano, spingeteli con delicatezza verso la pancia.

Lasciate andare, tirate i piedi verso di voi e ripetete due o tre volte. Potete anche disegnare dei cerchi con i piedi intorno alle anche, in entrambe le direzioni, per tonificare la parte inferiore della schiena.

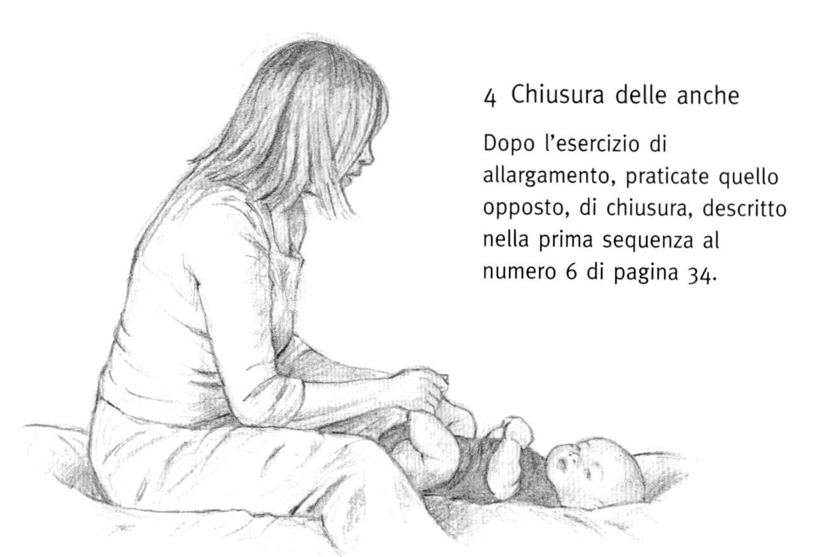

4 Chiusura delle anche

Dopo l'esercizio di allargamento, praticate quello opposto, di chiusura, descritto nella prima sequenza al numero 6 di pagina 34.

5 Spinta e contro-spinta

Premete delicatamente ma con decisione, i palmi delle vostre mani contro le piante dei piedi del bambino. Lasciate andare e ripetete. Può darsi che opponga resistenza, spingendo a sua volta contro le vostre mani. In questo caso, aumentate la pressione. Potete anche premere su un piede per volta, incoraggiando così il bambino a scalciare.

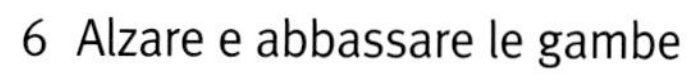

6 Alzare e abbassare le gambe

Questa postura chiude la sequenza insegnando al bambino anche l'uso della respirazione.

Tenendo un piede per mano, sollevate piano le gambe, inspirando, perpendicolarmente al suo corpo e lasciatele ricadere in rilassamento, espirando.

Attenzione: non forzate il bimbo a un sollevamento più ampio.

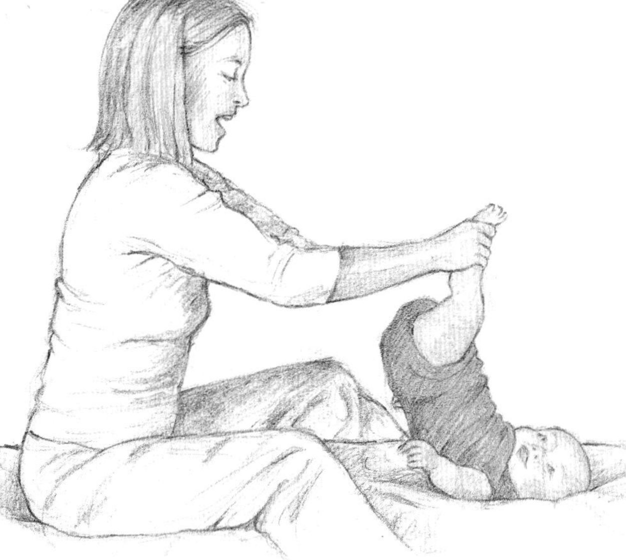

Rotazioni

Le rotazioni sono un ottimo preliminare agli esercizi per la parte superiore del corpo. Sono essenziali per i bambini riluttanti ad allargare le braccia, e addirittura preziose per quelli particolarmente sensibili all'essere toccati.

Questo esercizio aumenta la rotazione della spina dorsale effettuata in modo statico nella prima sequenza per le anche, che ora state facendo con un movimento circolare nella seconda. Il movimento di rotazione coinvolge l'intera spina dorsale e aiuta ad aprire petto e spalle. Durante la sequenza, sincronizzate il vostro respiro con i movimenti che fate, cercando di mantenere contatto visivo col bambino. La maggior parte dei neonati trova le rotazioni molto divertenti, specialmente se fatte con un ritmo vivace.

1 Rotazione spinale con massaggio

Questa rotazione completa, insieme allo stiramento di fine esercizio, armonizza bene con il massaggio. Se durante l'esercizio il bambino è nudo, potete massaggiarlo sul petto con movimenti verso l'esterno fino a massaggiare la spalla e il braccio.

Attenzione: quando girate di fianco le gambe del bambino non sollevategli la spina dorsale dal piano d'appoggio.

Con il bambino sdraiato sulla schiena come per la prima sequenza alle anche, tenete con la vostra mano sinistra, le ginocchia unite e piegate sull'addome. Inspirate e poi, espirando lentamente, portate le ginocchia del bambino verso la vostra sinistra, allungando le gambe.

Contemporaneamente, mettete la mano destra piatta sull'addome del bambino e massaggiate verso la sua spalla sinistra cercando di aprirla con un movimento leggero e «a spazzola». Lasciate andare la rotazione e riportate la mano verso di voi senza toccare il neonato.

Ripetete le due azioni combinate per due o tre volte, controllando il vostro respiro. Ripetete dall'altra parte.

Riposate un attimo e stiratevi anche voi stando nella stessa posizione.

2 Stiramento diagonale

Serve a bilanciare efficacemente l'azione della rotazione spinale.

Attenzione: durante quest'esercizio, badate a che la testa e la parte posteriore del collo siano ben appoggiati al piano e con la spina dorsale completamente distesa.

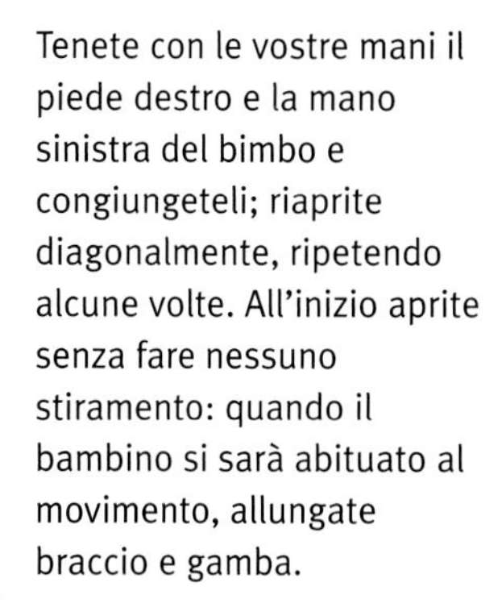

Tenete con le vostre mani il piede destro e la mano sinistra del bimbo e congiungeteli; riaprite diagonalmente, ripetendo alcune volte. All'inizio aprite senza fare nessuno stiramento: quando il bambino si sarà abituato al movimento, allungate braccio e gamba.

Ripetete dall'altra parte.

3 Annodamento

Con un bambino particolarmente elastico o un po' più grande, provate quest'estensione del movimento diagonale.

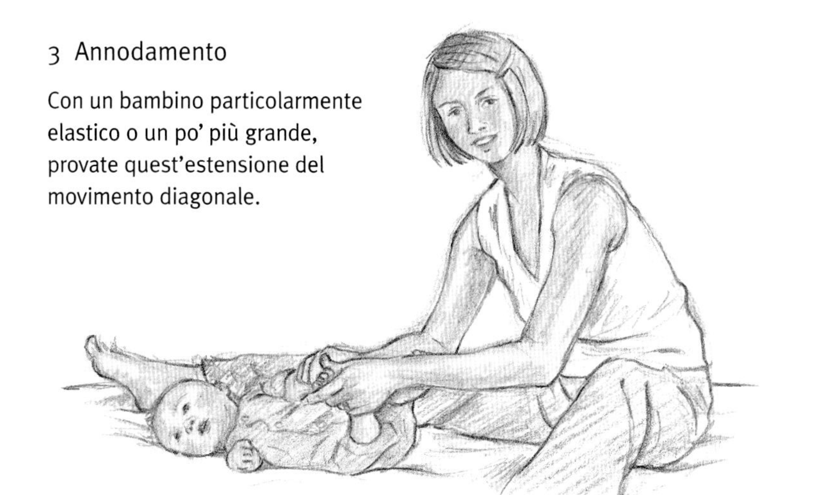

Portate la gamba destra verso il braccio sinistro, in modo da effettuare uno stiramento in direzioni opposte. Incrociate ripetutamente le vostre mani durante questo esercizio di «annodamento» del vostro bimbo.

4 Rotazioni per ginnastica mentale

Questo stiramento diagonale più complesso serve non solo a tonificare i muscoli dorsali ma favorisce anche una buona coordinazione degli arti.

Tenete con ciascuna delle mani la mano e il piede opposti del bambino e, aprendoli leggermente, descrivete alcuni cerchi verso l'interno. Ripetete verso l'esterno.

Infine ruotate il braccio e la gamba del bimbo in direzioni opposte e viceversa. Dovrete forse fare alcuni tentativi prima di arrivare a eseguire una sequenza corretta. È quindi un buon allenamento di coordinazione anche per voi.

Spalle appoggiate e srotolamento

Nelle due sequenze per le anche, avete mostrato al vostro bimbo la differenza tra «stiramento» e «rilassamento» attraverso una successione di allungamenti delle gambe, sollevamenti parziali e poi verticali e infine di cadute controllate. Ora, col bambino nella stessa posizione appoggiato sulle vostre gambe o di fronte a voi, potete sperimentare con lui questi esercizi più impegnativi.

Primo appoggio sulle spalle

Questa posa riflette le posizioni rovesciate dello yoga con appoggio sulle spalle, una delle più benefiche.

Tenendo il bimbo per i piedi, sollevategli verticalmente le gambe fino ad alzare il sederino dal piano d'appoggio.
La testa e le spalle restano sul pavimento mentre il resto del corpo è sospeso.

Rimanete in questa posizione per un momento, guardando il bambino, e poi lasciate ricadere dolcemente sederino e gambe. Questo esercizio diventerà ben presto un gioco, se lo accompagnerete ad esempio con «su, su, su... GIÙ» detto con diversi toni di voce.

Appoggio sulle spalle con srotolamento

Se il bambino sembra divertirsi, potete ampliare l'esercizio.

Piegate le gambe sollevate oltre la testa e lasciate poi che tutto il corpo si srotoli quando mollate le gambe.

Attenzione: se il bambino non sembra essere a suo agio, aspettate che diventi un po' più grande per effettuare la seconda parte dell'esercizio.

Volare

Per effettuare questo movimento, fatevi guidare dal senso innato del bambino per il divertimento cercando di mantenere il contatto visivo più a lungo possibile. È un esercizio che vi aiuterà a tonificare i vostri addominali, mentre il neonato, che fa da contrappeso, si diverte per la sensazione di volare.

1 Sdraiate sulla schiena, con le ginocchia raccolte al petto, tenete il bambino a pancia in giù sostenendolo sotto le ascelle. Alzatelo e appoggiatelo sulla parte inferiore delle gambe.

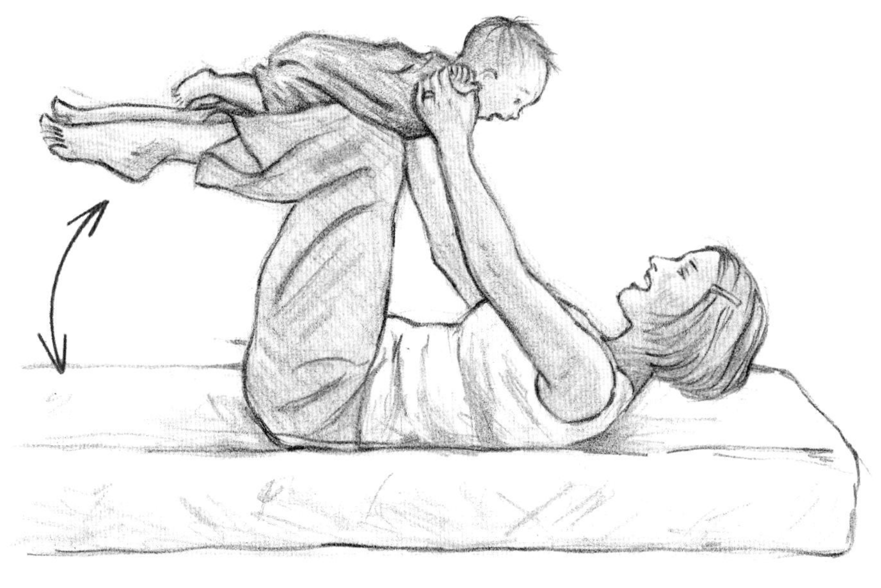

2 Sostenendo il bambino per le mani o i polsi, alzate e abbassate ritmicamente le gambe in modo che si senta «volare». In questo modo, i vostri muscoli addominali lavorano, specialmente se abbassate il mento e alzate la testa mentre espirate. Inspirate tirandovi su, ed espirate quando vi distendete. Tenete il bimbo nella stessa posizione contro le vostre gambe.

Fare il «giro della morte»

Sollevare un neonato a testa in giù sembra un esercizio rischioso ma è invece assolutamente sicuro. Il bambino si divertirà e ne trarrà giovamento poiché come nella posizione in verticale sulla testa, una tra le principali dello Hatha yoga, la spina dorsale si distende, la circolazione sanguigna al cervello migliora, i polmoni si liberano dal muco e l'intero sistema nervoso viene stimolato. Seguite attentamente le spiegazioni per trarre entrambi il massimo beneficio da questa posizione. Partite da un appoggio sulle spalle (vedi pagina 52) come preparazione.
Quando sarete più esperte, potrete fare il «giro della morte» in posizioni diverse, da dietro in avanti o viceversa oppure da un lato verso l'altro.

Attenzione

- Se avete qualche dubbio su questa posizione, chiedete il consiglio del vostro medico.

- È meglio non fare questo esercizio in presenza di persone che non hanno familiarità con lo yoga: potrebbero spaventarsi e influenzare il neonato con espressioni di paura. Se accadesse, consolate subito il bambino e rassicurate i presenti.

1 Sollevare a testa in giù

Sedetevi sul pavimento o su una sedia rigida. Parlate al bambino e dopo aver stabilito un buon contatto visivo, mettete il neonato a pancia in giù in grembo a voi.

Tenendolo saldamente per le caviglie o per i piedini sollevatelo a testa in giù, con la schiena rivolta verso di voi.

2 Sostenere e far girare

Tenete il bambino sospeso in aria e, ruotando le braccia, giratelo di fianco in modo da vederlo in viso. Se il bambino sembra felice, lasciatelo così qualche istante, per un massimo di un minuto, perché tragga beneficio dallo stare rovesciato.

3 Tornare a terra

Fate scendere pian piano il neonato, appoggiandovelo in grembo, sulla pancia o sulla schiena indifferentemente. Appoggiate prima le spalle o il petto sulla vostra coscia e fatelo sdraiare dolcemente di traverso sulle vostre gambe.

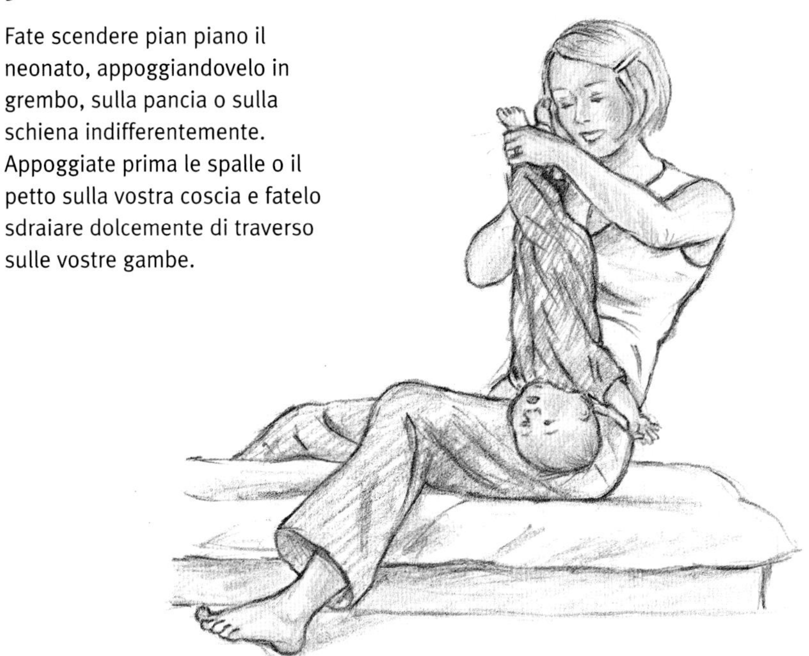

4 Riposo

Potete poi farlo rotolare in grembo a voi o tra le vostre gambe prima di prenderlo in braccio e abbracciarlo.

Ripetete la sequenza due o tre volte se il bambino è contento e vuol fare ancora esercizio.

Attenzione
Quando fate scendere il neonato, state attente che appoggi le spalle o il petto, piuttosto che la testa, per evitare ogni sforzo al collo.

Stretching per la schiena

Secondo il principio yoga che non bisogna forzare il movimento, è buona regola che i neonati sotto i due mesi raggiungano spontaneamente un buon controllo della testa e del collo evitando, quindi, ogni esercizio di stretching quando sono a pancia in giù. Dal terzo mese in poi, tuttavia, il neonato è probabilmente in grado di alzare la testa spontaneamente quando si appoggia sulla pancia poiché i muscoli e la spina dorsale si sono rinforzati. Questo è il momento giusto per cominciare gli esercizi di stretching per la schiena.
Gli esercizi illustrati stimolano il funzionamento del sistema digerente, sviluppano la respirazione e rendono più forte la schiena mentre il bambino comincia a muoversi in maniera indipendente.

Mini cobra 1

Per questa classica postura yoga, state sedute con la schiena appoggiata e le gambe piegate mentre il bambino sarà prono sulle vostre cosce con i piedini contro il vostro corpo. La testa arriverà alle vostre ginocchia o appena oltre. Questo è piacevole per i bambini più piccoli e rende i vostri movimenti simmetrici. In alternativa, state sedute con il bambino sdraiato perpendicolarmente alle cosce. Questa posizione rende più facile il rilassamento dopo lo stretching ma rende la vostra azione asimmetrica. Se il bambino è più grande può stare sdraiato a terra.

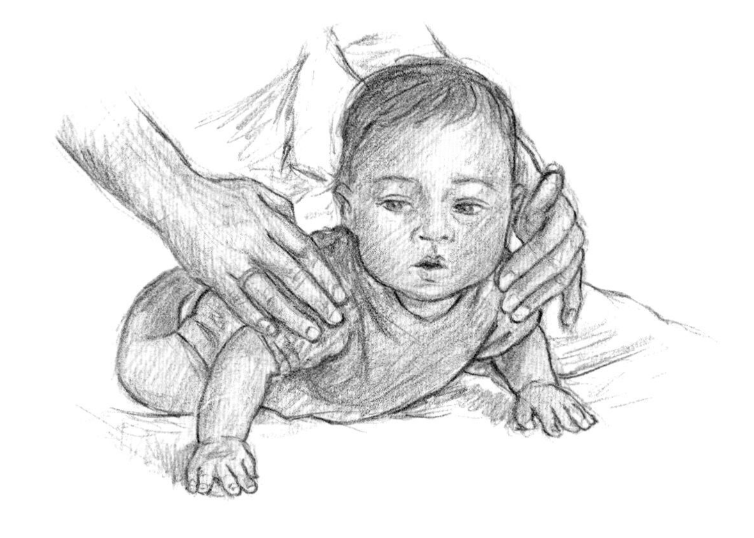

Iniziate con il massaggio della spina dorsale. Poi, sostenendo la gabbia toracica con entrambe le mani sotto il petto, seguite con i pollici i muscoli intercostali su entrambi i lati della spina dorsale, muovendo le dita verso l'esterno ed esercitando una leggera pressione. Partite dalla vita verso la parte alta della schiena.

Poi, tenendo i pollici appena sotto le scapole del bambino, alzate con molta cautela le spalle, facendo leva sui pollici. Non importa se, a questo stadio, il bambino alza o no la testa.

Rilassate le mani e ripetete due o tre volte.

Mini cobra 2

Tenendo il neonato di traverso sulle vostre gambe, appoggiate una mano sulla zona lombare e premete delicatamente ma con fermezza. Contemporaneamente, fate scivolare l'altra mano sotto lo sterno, con il dito indice sotto il mento del bambino.

Sollevate lentamente il petto con la mano, mantenendo con l'altra la pressione sulla schiena.

Stretching della parte inferiore della schiena

Fate questo stretching dopo l'esercizio del mini cobra, partendo dalla stessa posizione iniziale ma con le gambe più allungate. È un esercizio specifico per la parte inferiore della schiena e per i muscoli delle natiche e delle cosce.

Tenete con una mano le caviglie del neonato e appoggiate l'altra sulla schiena, appena sotto le scapole. Portate lentamente le gambe verso di voi, sollevandole finché il bambino sembra essere a suo agio. Lasciatele ricadere non appena oppone resistenza. La capacità di sollevare le gambe può variare molto da bambino a bambino.

Attenzione: se il bambino oppone resistenza, interrompete subito l'esercizio.

Controbilanciamento

Controbilanciate questi esercizi di allungamento con una flessione: spingete le ginocchia del neonato verso il suo petto e fatelo dondolare pian piano da una parte e dall'altra.

Provate voi stesse gli esercizi che il vostro bambino ha appena sperimentato: la posa del cobra con il bacino al suolo e lo stiramento della parte bassa della schiena, allungando una gamba per volta. Respirate riempiendo il più possibile di aria l'addome.

Allungamenti per braccia e spalle

Questi esercizi servono non solo ad aprire il petto del bambino e a rendere la respirazione più profonda, ma anche a dare un maggior senso di fiducia e a rinforzare i muscoli dorsali, prima che il bambino sia capace di stare seduto. Se avete provato le rotazioni alle pagine 50-1, il neonato dovrebbe eseguire questi allungamenti senza opporre alcuna resistenza.

Attenzione: non forzate mai nessun movimento.

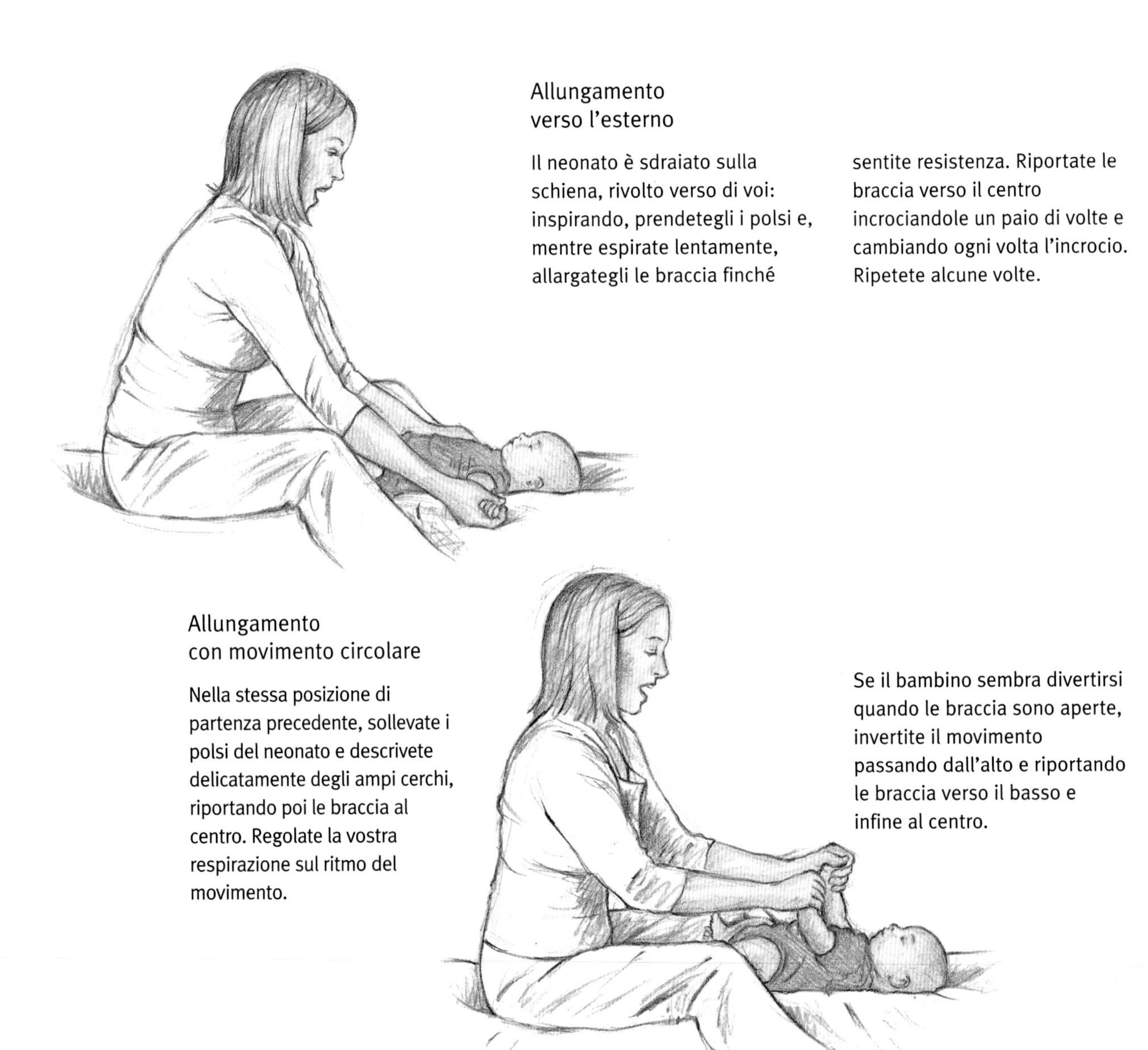

Allungamento verso l'esterno

Il neonato è sdraiato sulla schiena, rivolto verso di voi: inspirando, prendetegli i polsi e, mentre espirate lentamente, allargategli le braccia finché sentite resistenza. Riportate le braccia verso il centro incrociandole un paio di volte e cambiando ogni volta l'incrocio. Ripetete alcune volte.

Allungamento con movimento circolare

Nella stessa posizione di partenza precedente, sollevate i polsi del neonato e descrivete delicatamente degli ampi cerchi, riportando poi le braccia al centro. Regolate la vostra respirazione sul ritmo del movimento.

Se il bambino sembra divertirsi quando le braccia sono aperte, invertite il movimento passando dall'alto e riportando le braccia verso il basso e infine al centro.

Allungamento all'insù

Un esercizio che stimola la capacità istintiva del bambino ad aggrapparsi incoraggiandone l'uso cosciente. Assicurategli solo un minimo sostegno per aiutarlo ad acquisire un sempre migliore controllo dei movimenti.

Sdraiate sul pavimento con le ginocchia piegate, fate sedere il bambino sul vostro addome, rivolto verso di voi. Fategli tenere il vostro dito indice con le manine: se stenta ad aggrapparsi, tenete in modo rilassato le manine tra pollice e indice.

Con cautela, alzate le braccia parallelamente alla testolina, facendo attenzione a come reagiscono i suoi muscoli dorsali.

Se il bambino non è ancora abbastanza forte per alzarsi, non sollevatelo con le braccia; se invece tenta di sollevarsi da solo, lasciatelo provare. Allo stesso modo, se cerca di far leva sulle vostre dita, non ostacolatelo e dategli invece un sostegno passivo, incoraggiandolo magari con la voce.

Allungamento sulla pancia

Per questo allungamento, sistemate il bambino di traverso sulle vostre gambe, con la testa appoggiata su una coscia. Regolate l'intensità del movimento secondo la reazione del bambino.

Tenendolo per i polsi, allungate alternativamente lungo i fianchi le due braccia con un movimento lento e riportatele alla posizione di partenza. Per un movimento più dinamico coinvolgete nel movimento le spalle.

Altri esercizi di equilibrio

Con il passare delle settimane, acquisirete sempre più fiducia nel maneggiare il vostro bambino e potrete provare nuovi esercizi di equilibrio per incoraggiarlo a reggersi a voi piuttosto che a farsi sostenere. Questi esercizi l'aiuteranno anche a rinforzare la schiena e le gambe preparandolo a stare seduto, a gattonare e infine a stare in piedi. Nel suo continuo mutare, il neonato potrà sembrarvi talvolta troppo cauto, talvolta temerario: gli esercizi di equilibrio lo aiuteranno a trovare una giusta «via di mezzo» tra i due estremi – il che rappresenta esattamente la filosofia yoga – e vedendo con quanto piacere il vostro bambino farà questi esercizi, sarete stimolate a farne sempre di più.

Seduto con «barra» di protezione

Partite dalla posizione di sicurezza a pancia in giù, sostenendo il petto del neonato con la mano aperta (vedi pag. 46-7); potete anche semplicemente offrire il vostro braccio come «barra di sostegno» quando il bambino cade in avanti. Questa posizione base offre lo spunto per molti altri esercizi.

Provate prima la posizione con «barra di sostegno» tenendo in grembo il bambino seduto di fianco, con le gambe penzoloni. Con il braccio come unico sostegno, lasciatelo inclinare leggermente in avanti. Poi, aiutandovi con l'altra mano sotto il sederino, riportatelo alla posizione iniziale.

Ripetete più volte, accompagnando magari ai gesti alcune parole che creino attesa, come «Seduto, seduto, VIA!».

Cercate di sostenere in questo modo il bambino, anche quando è seduto in braccio a voi ma rivolto verso l'esterno. Con un po' di pratica, acquisendo la sensazione del ritorno verso il centro, il neonato migliorerà sempre più il suo senso dell'equilibrio.

Altalena

Mentre il neonato è ancora seduto di traverso in grembo a voi, usate una mano per sostenere il petto e con l'altra sorreggete la parte posteriore del capo in modo da creare un movimento altalenante del suo corpo tra le vostre mani. Ampliate man mano il movimento, lasciando anche maggior spazio tra le vostre mani e il suo corpo.

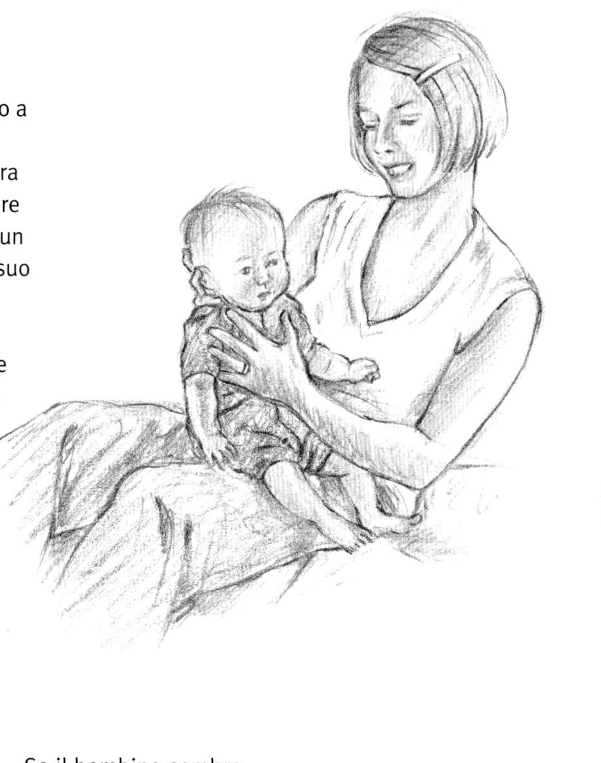

Se il bambino sembra divertirsi, lasciatelo cadere avanti e indietro sostenendolo al momento giusto.

Sostegno in piedi con «barra» di protezione

A molti neonati piace essere tenuti in piedi, assai prima di essere capaci di sostenersi con le proprie gambe. Se lo sosterrete con un braccio a mo' di sbarra di sostegno, avrà tutta la libertà di movimento di cui ha bisogno.

Fate sedere il bambino di traverso, con i piedini sul pavimento o sul letto, usando il vostro braccio come sbarra sostenendo la maggior parte del peso. Se ha voglia di stare in piedi, sarà libero di farlo mentre con l'altra mano darete un sostegno alla schiena.

Dall'equilibrio al volo

Con questi esercizi e con il vostro aiuto il bambino spiccherà il volo. Nei primi tre, la vostra mano di sostegno è sotto le natiche in un movimento che è l'espansione degli esercizi illustrati alle pagine 38-9. Questi voli, cadute e dondolii divertiranno sempre più il bambino man mano che cresce.

1 Equilibrio in posizione seduta

Questa postura aiuta a rafforzare la base della spina dorsale preparando il bambino ai movimenti più dinamici che seguono. Per sicurezza, provate prima sul letto.

Stando sedute o inginocchiate, sostenete il bambino con una mano sotto le natiche mentre con l'altro braccio, di traverso come una sbarra di protezione, sorreggete il petto. Lasciate andare per qualche istante il braccio davanti, tenendo il bambino in equilibrio sulla mano. Con l'esercizio, sia voi che il vostro bambino acquisterete più forza e il braccio che funge da sbarra sarà più una protezione che un sostegno.

2 Cadute in posizione seduta

Quasi tutti i bambini adorano sentirsi cadere e sono sempre pronti per questo esercizio. Tuttavia, se vedete che il bambino ha paura, riprovate con le piccole cadute illustrate a pagina 39 e ampliate progressivamente il movimento.

Tenendo il bambino seduto in equilibrio sulla vostra mano, mentre con l'altra sostenete schiena e collo, fategli provare delle piccole cadute che potrete in seguito ampliare, abbassando le mani con un movimento veloce e deciso.

3 Voli in posizione seduta

Questo movimento, che potrete combinare alle cadute, servirà anche a rinforzare le vostre braccia e a tonificare i muscoli addominali. Per aiutarvi, controllate la respirazione.

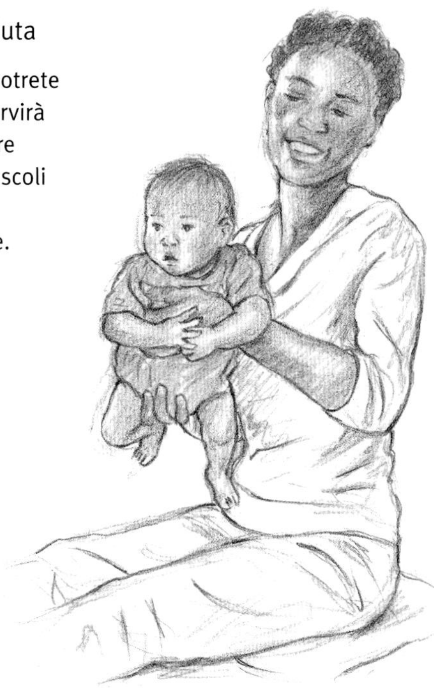

Con la mano sotto le natiche del bambino e sostenendo il petto con l'altra mano, sollevatelo in aria con un movimento di spinta laterale. Se il bambino si diverte, ripetete due o tre volte.

4 Primo volo

È un movimento molto semplice che piace molto ai papà. Tonifica i muscoli addominali, ma per farlo bisogna essere abbastanza forti.

Sdraiati al suolo con le ginocchia piegate, fate sedere il bambino sul vostro addome. Tenendolo bene sotto le ascelle, sollevatelo e fatelo «volare» in avanti finché sarà sospeso su di voi ad altezza di sguardo.

Dondolii, cadute e voli dalla posizione eretta

Quando il bambino sarà in grado di reggere da solo la testa, potrete fare tutti gli esercizi che avete provato stando sedute, in posizione eretta. Se al bambino sono piaciuti i lievi esercizi di pagina 39, si divertirà ancora di più con questa variante più dinamica. Potete scegliere di fare gli esercizi con il bambino girato verso l'esterno o nella posizione qui illustrata.

Dondolio laterale

Partite sorreggendo il bambino seduto sulla vostra mano, con la testa appoggiata al vostro braccio sinistro (se non siete mancine) e cominciate a farlo dondolare lateralmente, aumentando l'ampiezza dell'oscillazione e facendo una piccola pausa ogni volta che giungete a fine movimento. Con il progressivo aumentare del peso del bambino sarà più facile fare il movimento tenendolo di fronte a voi e girato verso l'esterno.

Grande altalena

Se il bambino si diverte, ampliate il movimento tenendo le braccia distese.

Reggete il bambino come nell'esercizio precedente, ma afferratelo sotto l'ascella col braccio di sostegno sul dorso, tenendo il suo braccio tra il vostro indice e pollice, per maggior sicurezza. Nel movimento di grande altalena, il bambino sarà una volta a testa in su e una a testa in giù.

Adattate sempre l'ampiezza del movimento alle reazioni del bambino, ampliando il movimento molto gradualmente.

Attenzione: evitate scosse o movimenti bruschi e accertatevi che la testa del bambino sia ben sorretta dal vostro braccio.

Caduta da posizione eretta

Corrisponde al movimento più dinamico dell'Hatha yoga. È uno degli esercizi favoriti dai papà, da provare quando il neonato avrà acquisito il controllo di testa e collo.

A ginocchia leggermente piegate e con le spalle rilassate, sollevate il bambino sostenendolo con fermezza al torace. Inspirate e sollevatelo all'altezza del vostro petto, lasciandolo poi cadere delicatamente, rilassando le braccia mentre espirate.

Quando si sarà abituato a questo esercizio, sollevatelo fino all'altezza del vostro viso per una caduta più grande.

Attenzione: aspettate a fare questo esercizio fino a quando il bambino ha pieno controllo della testa e del collo.

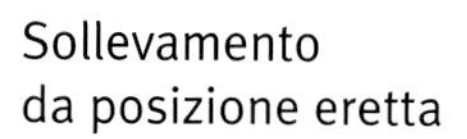

Sollevamento da posizione eretta

Potete ampliare il movimento precedente fino a farlo diventare un sollevamento in aria, dilatando contemporaneamente il vostro respiro.

Inspirate e sollevate in aria il bambino. Lasciatelo ricadere mentre espirate. Non sollevatelo sopra la vostra testa e cercate di tenerlo diritto sia durante il sollevamento che nella caduta.

Passeggiare rilassandosi

A differenza del primo esercizio di rilassamento descritto alle pagine 42-3, in cui cullavate il vostro bambino stando sdraiate, questa volta il rilassamento è ottenuto mentre passeggiate insieme. Le posizioni precedenti saranno ancora utili specialmente quando il bambino comincia a crescere: troverete sempre più rilassante potervi sdraiare con lui. Passeggiare per rilassarsi è un metodo meno convenzionale ma molto efficace specialmente quando il neonato è piccolo e leggero. Se lo farete all'aperto, quotidianamente, servirà a ridurre il senso di tensione o depressione producendo una sensazione di benessere.

1 Allentare la tensione

Prima di prendere in braccio il bambino, cercate di allentare la tensione del vostro corpo sciogliendo la muscolatura, rilassando la mascella inferiore e soffiando con piccoli colpi decisi. Un bambino più grandicello troverà questa preparazione molto divertente.

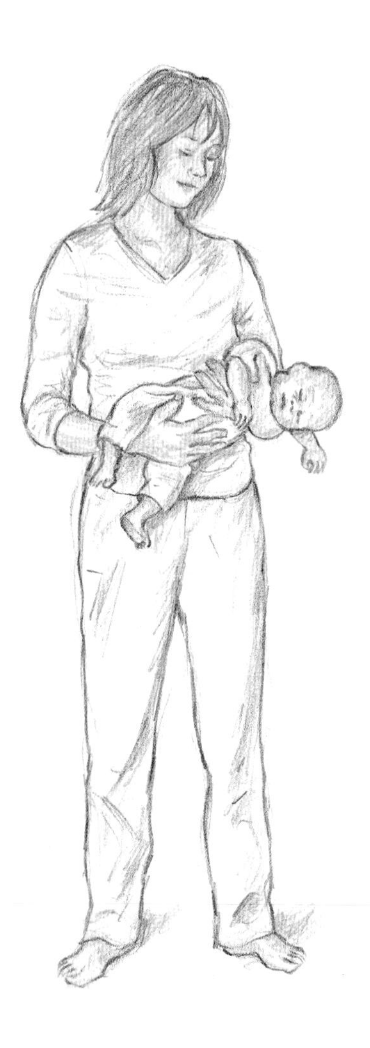

2 Cercare stabilità

Tenendo il neonato nella posizione rilassata a pancia in giù (pagina 36), accennate qualche lieve caduta, accompagnandone il movimento. Questo aiuterà entrambi a sentirvi più stabili, preparandovi per i movimenti seguenti.

3 La vostra posizione

Sorreggete il bambino in una posizione comoda per camminare, a stretto contatto, come può essere la presa rilassata o con il bambino diritto.

4 Il primo passo

Fissate la vostra attenzione su un movimento ritmico, un dipanarsi della vostra azione nello spazio e nel tempo, che è poi l'essenza di ogni sequenza yoga. Vi servirà ad allontanare la mente dalle preoccupazioni della quotidianità. Concentratevi sul primo passo.

5 Cominciate a camminare

Cominciate a camminare lentamente, controllando l'allineamento della spina dorsale rispetto al bacino e il modo in cui appoggiate i piedi al suolo.

6 La respirazione

Ora, controllate il respiro. Se necessario, espirate a fondo più volte per liberarvi di ogni tensione residua. Se ne avete voglia, sbadigliate e poi inspirate per due passi. Allungare ogni volta un po' il tempo dell'espirazione vi aiuterà a immettere più aria quando inspirate senza forzare il respiro.

7 Consapevolezza

Sentite il corpo del bambino vicino a voi: prendete coscienza dei vostri due corpi che seguono il ritmo della passeggiata. Mentre l'attenzione superficiale è rivolta a dove appoggiate i piedi e a ciò che vi circonda, «svuotate lo sguardo», guardando al di fuori e all'interno di voi stesse. Fissate l'attenzione sul flusso della forza vitale universale che attraversa i vostri corpi uniti.

Yoga con le filastrocche

Avrete senza dubbio un vostro repertorio di canzoncine che canterellate facendo yoga con il vostro bimbo. Forse, vi sono tornate alla mente le filastrocche della vostra infanzia ma se le avete dimenticate, potrete trovare un vasto repertorio di musica per bambini piccoli, che faranno la gioia del vostro piccolo, specialmente se associate ai movimenti dello yoga. Se sarete capaci di animare attraverso il canto le sessioni di yoga, riuscirete più facilmente a incoraggiare un modo di comunicare che stimola tutti i sensi del neonato facendolo entrare nella «spirale di gioia».
Le due canzoncine che seguono sono solo degli esempi: durante le sedute di yoga potrete sbizzarrirvi nella scelta, cantando quelle che preferite.

«Lo yoga per neonati mi consente di fare qualcosa di utile e divertente in momenti della giornata in cui io e mio figlio ci sentiamo stanchi e irritabili. La sessione di yoga ci fa sentire più felici e "in sintonia" di quando abbiamo iniziato.»

Il piccolo naviglio

Potete accompagnare questa canzoncina a un leggero stiramento delle braccia e appena il vostro piccolo comincia a divertirsi, fate dei movimenti all'infuori per allargare il suo torace. All'inizio il bambino può stare sulle vostre ginocchia piegate, rivolto verso di voi. Poi, disteso per terra fra le vostre gambe o seduto come a pag. 105. La vostra partecipazione attiva renderà quest'esercizio un piacevole gioco. Potete anche farlo insieme ad un'altra mamma con il suo bambino, come illustrato qui sotto. Se lo stare sedute a gambe allungate non vi crea problemi alla schiena, potete eseguire i classici piegamenti in avanti dello Hatha yoga.

C'era una volta un piccolo naviglio,
che non sapeva, non sapeva navigare,

e dopo una, due, tre, quattro, cinque, sei, sette settimane,
il piccolo naviglio navigò...

La donnina piccina picciò

Dapprima il vostro bambino seguirà passivamente questo ritmo ma poi parteciperà sempre più attivamente e con maggior coordinazione. Questa è una sequenza dinamica che stimolerà il suo sviluppo attraverso la ripetizione e la varietà dei movimenti con un netto contrasto tra stretching e rilassamento. Pochi secondi saranno sufficienti per calmarlo. Durante l'esercizio, il bambino è appoggiato di schiena a voi, in grembo a voi o tra le vostre ginocchia. Prendetegli le manine e muovetele seguendo il ritmo.

C'era una volta una donnina
Piccina piccina piccina picciò
Che abitava in una casina
Piccina piccina piccina picciò
E aveva una gallina
Piccina piccina piccina picciò
Che fece un ovino
Piccino piccino picciò.
E la donnina
Piccina piccina piccina picciò
Fece una frittatina
Piccina piccina piccina picciò.
Venne un omone
Con un barbone
E una gran bocca spalancò
E la donna
Tanto piccina
In un boccone tutta mangiò.

Oh quante belle figlie Madama Dorè

Seguendo il ritmo di questa canzoncina, farete lavorare tutto il corpo del bambino. Iniziate con i movimenti delle gambe, coinvolgete poi le braccia e terminate con uno scuotimento generale.
Sarà un passatempo adatto alle giornate piovose, in cui non è possibile uscire. È meglio fare gli esercizi stando seduti, ma assumete pure la posizione che vi è più comoda.

Idee per altri giochi
Fate giochi di destrezza con/per il vostro bimbo
Fate le bolle di sapone
Organizzate giochi ed esercizi di stretching con nastri colorati
Giocate a nascondino

Oh quante belle figlie Madama Dorè,
oh quante belle figlie.
Son belle e me le tengo,
scudiero del re,
son belle e me le tengo.
Il re ne domanda una, Madama Dorè,
il re ne domanda una.

Che cosa ne vuol fare Madama Dorè,
che cosa ne vuol fare?
La vuole maritare Madama Dorè
La vuole maritare.
Prendete la più bella, scudiero del re
Prendete la più bella.
La più bella l'ho già scelta, Madama Dorè
La più bella l'ho già scelta.

Giochi con lo yoga

Spesso capita che solo alla nascita del secondo figlio, quando osservano il neonato interagire con il fratello o sorella più grande, i genitori capiscano che i bambini amano giocare fin da piccolissimi. Se proviamo a far giocare i nostri figli molto precocemente, ci accorgeremo che sanno distinguere l'attività ludica da ogni altra attività. L'introduzione del gioco nell'attività yoga farà capire al vostro bambino (in un modo diverso dall'allattamento) che la vita può essere piacevole.

Giochi con la palla

La palla è probabilmente il più antico dei giochi. A tutti i bambini piace giocare con palle e palline, e la parola «palla» è spesso tra le prime parole pronunciate. Tutta la famiglia o gli amici possono partecipare al gioco, introducendo una maggior varietà di esercizi nelle sessioni yoga. Sedete in cerchio o, se ci sono due adulti, disponete le gambe a diamante in modo da racchiudere il neonato. Scegliete una palla soffice che non può far del male: all'inizio si divertirà a guardarvi giocare ma presto sarà in grado di afferrarla perché osservarvi stimolerà la coordinazione occhio-mano del bambino che potrà presto partecipare a innumerevoli giochi.

4 Dai quattro agli otto mesi e oltre
Divertimento e crescita

Lo yoga è stato d'aiuto nel dare forza, scioltezza ed equilibrio al neonato, facilitando la comunicazione tra voi e insegnandogli a usare al meglio i cinque sensi. Gradualmente, si sta verificando un mutamento nella sua capacità di reagire: il bambino, pur bisognoso della vostra guida, è capace di indicarvi lui stesso chiaramente quali esperienze siano per lui più gratificanti.

Il bambino è ora in grado di raggiungere ed afferrare gli oggetti. Sonaglini e giocattoli morbidi lo divertono immensamente ma piedi e mani sono anch'essi spunto per sempre nuovi giochi: ci gioca, li mette in bocca, li muove come preferisce. Visi ed espressioni, soprattutto il vostro, sono una continua fonte di gioco del quale egli vuole sempre più essere partecipe. Ogni occasione è buona per sviluppare, attraverso il gioco, ogni genere di abilità utile alla crescita.

Potete sviluppare le tecniche yoga come preferite, o con un genere di gioco più dinamico, con salti o balzi in aria, oppure con una maggior quantità di canzoncine e tiritere, o con lunghi momenti di relax stando rannicchiati, o con tutte queste attività combinate. Alcuni bambini preferiscono sempre fare yoga stando sdraiati sulla schiena anche quando sono capaci di stare seduti o di gattonare; altri affermano la propria indipendenza sviluppando giochi più attivi.

A questo stadio di sviluppo, mentre acquista pieno controllo dei movimenti e scopre il mondo circostante, giocare e crescere sono le cose di cui il bambino ha bisogno. Una breve sessione di yoga quotidiana rappresenta la risposta ideale; per ogni postura dovrete garantire solo un minimo sostegno mantenendo intatto il vostro ruolo di testimone attento di ogni suo progresso.

Se riprenderete o svilupperete in questo periodo la vostra pratica dello yoga, influenzerete lo sviluppo del vostro bambino. Combinate le vostre sessioni yoga in una pratica quotidiana che potrebbe essere la prima attività che condividete oltre al nuoto. Può darsi che vedendovi fare yoga desideri imitarvi e si unisca a voi.

Energia, ritmo e divertimento

Talvolta, tra il quinto e il settimo mese, il bambino dà segno di essere pronto per qualcosa di diverso. Comincerà a prendere l'iniziativa della sequenza yoga, afferrandosi i piedi o rotolandosi, mostrandovi così il «suo» yoga. È la naturale conseguenza di tutti gli stimoli che ha ricevuto da voi ad allungarsi, tirarsi, e muovere il proprio corpo per quanto possibile in ogni fase del suo sviluppo.

Mentre il vostro bambino comincia la sua esplorazione del mondo con i nuovi mezzi di cui è capace, dovrete modificare gli esercizi yoga da fare insieme. Non ci sarà una differenza sostanziale ma saranno diversi gli obiettivi: lo yoga è ora strumento di crescita individuale e autonomia fisica per il bambino, ma ha ancora bisogno della sicurezza che solo la vostra vicinanza può dargli. Ha fiducia nel vostro sostegno incondizionato e sa che sarete pronte a consolarlo per una frustrazione o gioire con lui per una vittoria.

Lasciate che sia il bambino a trovare il giusto stato d'animo

Nelle fasi iniziali, quando eravate voi a trovare il «momento giusto» per fare yoga (vedi pagine 26-7), si trattava di essere certi che il bambino fosse ricettivo. Ora potete lasciargli l'iniziativa, in modo che abbia la possibilità di trovare il momento giusto per divertirsi e crescere. (Se il vostro bambino ha più di cinque mesi quando cominciate a fare yoga, questo è un buon punto d'inizio). La semplice pratica di meditazione qui illustrata vi potrà aiutare nella fase di transizione.

- Prima di toccare il bambino o di prendergli i piedi, sedetevi o inginocchiatevi di fronte a lui, sdraiato sulla schiena nella posizione di partenza per gli esercizi all'anca.
- Guardate il bambino cercando di stabilire contatto visivo; potrete parlargli o stare in silenzio. Cercate di concentrarvi con le tecniche descritte alle pagine 16-7.
- Fissate la vostra attenzione sul vostro bimbo che non è più così piccino e che, con la crescita, si allontanerà sempre più da voi. Se il pensiero vi rende triste o ansiosa, accettate questi sentimenti.
- Osservate quello che il bambino sta facendo: forse sta provando le sue più recenti prodezze, girandosi o cercando di alzarsi, oppure cerca di attirare la vostra attenzione.

- Dimostrategli la vostra attenzione sia parlandogli sia attraverso una semplice postura di «stiramento e allungamento»: sollevate e allungate le sue gambe mentre inspirate e lasciatele ricadere mentre espirate.
- Stiracchiatevi stando di fronte al bambino, effettuando una respirazione profonda.

Ritmi

Man mano che il bambino cresce, con l'aumentare dei periodi di veglia, ha bisogno di definire la differenza tra attività e riposo, stretching e rilassamento, sonno e veglia. Lo yoga servirà a demarcare queste attività contrastanti fra loro e a stimolare i suoi bioritmi in modo da renderlo più attivo quando è sveglio e ad avere un sonno più profondo e tranquillo. Dopo le sedici settimane, il bambino reagirà positivamente all'introduzione nelle sue posture yoga di nuovi ritmi più definiti e dinamici oppure più lievi a seconda delle sue personali preferenze. Dovunque c'è ritmo c'è gioco e il bambino sarà felice di assumere nuove posture.

Assecondare ma non forzare

Quando il bambino, acquisendo più forza, cercherà di sollevarsi, sarete probabilmente tentate di aiutarlo a completare il movimento, alzandolo o spingendolo ad assumere particolari posture. È tuttavia molto importante che, dopo le 16 settimane, voi assecondiate i movimenti senza mai forzarli. Offrite il vostro sostegno per veicolare il messaggio secondo il quale lui è il soggetto «attivo» e voi siete il sostegno e la guida che gli consente di divertirsi e sentirsi al sicuro.

«Ho cominciato a fare yoga quando ero incinta e ho intenzione di continuare. Lo yoga con i neonati mi ha aiutato ad acquisire fiducia nel rapporto con il mio bambino e a stabilire una relazione fisica con lui invece di tirarlo su e giù, sbatacchiandogli giocattoli davanti al viso.»

La terza sequenza per le anche

Questa sequenza è più dinamica delle due già illustrate (vedi pagine 32-3 e 48-9), con un ritmo più serrato che scandisce l'estensione completa dei movimenti. Cambiate il ritmo gradualmente cercando di assecondare il bambino. La sequenza è anche più lunga e comprende: annodamento, torsione con allungamento e un mini-aratro. Per dare dinamicità, effettuate i diversi movimenti senza pause e marcate chiaramente il contrasto tra stretching e rilassamento, fase d'azione e di riposo. Come per tutte le sequenze per le anche, stabilite il contatto visivo e fate il massaggio prima di iniziare.

> Se il bambino sembra non gradire di stare sdraiato, provate a tenerlo seduto in grembo con la schiena appoggiata a voi. Tuttavia, poiché il movimento ha più efficacia se sta sdraiato, dopo qualche giorno riprovate questa posizione: potrebbe trovarla divertente.

1 Ginocchia al petto

Come a pagina 32: ripetete diverse volte, premendo le ginocchia ai lati del suo addome e lasciando andare.

2 Ginocchia in cerchio

Come a pagina 48: disegnate dei cerchi nelle due direzioni, tenendo le ginocchia unite e vicine al corpo.

3 Mezzo loto acrobatico

Come a pagina 48: ampliate il movimento fino a che i piedi del bambino raggiungano ascelle, spalle, naso o fronte. Fate combaciare le piante dei piedi prima di cambiare il senso, tenendo un ritmo costante.

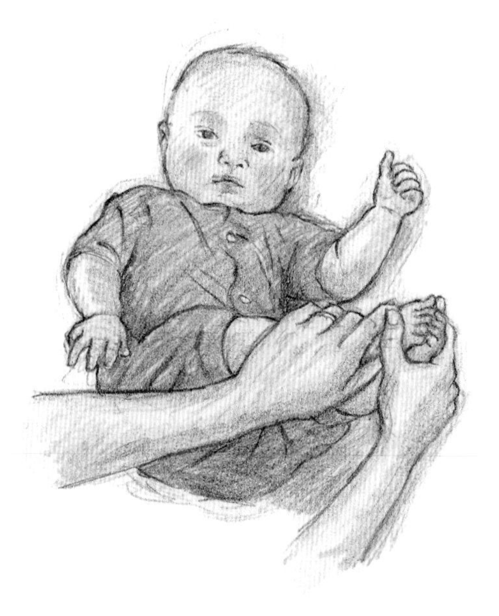

4 Torsione con allungamento

Serve a sviluppare la torsione spinale illustrata a pag. 50; ora però, prima piegate le ginocchia e poi tenete le gambe diritte.

5 Annodamento

Sviluppate l'annodamento descritto a pagina 51, dando più ritmo all'esercizio e aumentando l'allungamento di piede e braccio da ogni lato.

6 Farfalla

Come a pagina 49: questa volta cercate di effettuare tutti i movimenti, premendo prima i piedini sul perineo, poi verso l'esterno e quindi verso l'alto, con un ritmo vivace.

7 Chiusura delle anche

Come a pagina 33: mentre ripetete il movimento di chiusura delle anche, disegnate un cerchio più ampio con le ginocchia, aprendo di più il bacino.

8 Spinta e controspinta

Come a pagina 49: premete il palmo delle vostre mani contro le piante dei piedi del neonato, prima insieme e poi alternativamente, in modo da incoraggiare il bambino a opporre resistenza.

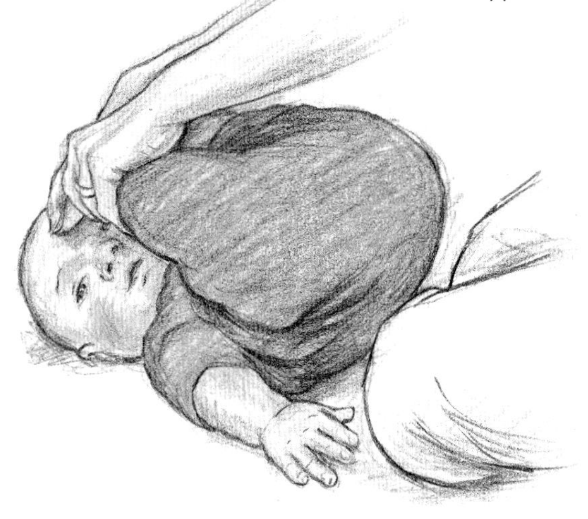

9 Mini-aratro

È l'ampliamento del movimento di stretching e rilassamento con allungamento e ricaduta della gamba, illustrato a pagina 49. Ora spingete le gambe sollevate del bambino al di sopra della sua testa e lasciate poi andare con delicatezza, lasciando che tutto il corpo si srotoli verso terra.

Le montagne russe

Questa sequenza di stretching è la versione ampliata e più dinamica degli allungamenti per la schiena alle pagine 56-7. Le vostre gambe sono una pista di «montagne russe» per una corsa che può essere sfrenata o più tranquilla a seconda di come il vostro bambino preferisce e che sarà fonte di divertimento ed esercizio per entrambi. È anche una preparazione ai tentativi di gattonare e arrampicarsi del bambino

Attenzione: adattate i movimenti alla vostra abilità e alle preferenze del bambino. Se vi accorgete di essere andate troppo in alto o di aver usato troppa energia, smettete e coccolate il bambino.

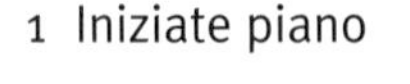

1 Iniziate piano

Sedete comodamente sul pavimento, appoggiate a un cuscino se è necessario. Mettete il bambino a pancia in giù, di traverso rispetto alle vostre gambe allungate. Accertatevi che sia rilassato e fategli magari un breve massaggio alla schiena.

Divaricate leggermente le gambe in modo da distendere la schiena del bambino. Poi, piegate un ginocchio, alzando e allungando in tal modo il tronco del bambino; mantenete l'altra gamba al suolo. Piegate e allungate le gambe in maniera alternata, per abbassare il tronco del bambino, alzando e allungando sederino e gambe. Fate un movimento ritmico, ad altalena.

2 Allungare e piegare

Aprite ancora di più le gambe per meglio distendere il bambino e sorreggete con le mani le caviglie. Sollevate tirando le gambe diritte e quindi piegatele ai lati del suo corpo, sempre tenendo le sue gambine. Allungate e piegate diverse volte, mantenendo un ritmo piacevole.

Variate il movimento alternando l'allungamento e il piegamento di una gamba per volta. Fate attenzione a non spingere in avanti il bambino. Il movimento dev'essere lieve e l'allungamento e piegamento devono partire all'altezza delle anche.

3 Rotolare...

Tenendo le ginocchia leggermente piegate alla stessa altezza, fatele ruotare in senso antiorario se la testa del bambino è alla vostra sinistra (in senso orario se è alla vostra destra). Quando le ginocchia toccano terra, stendete le gambe in un movimento simile alle «montagne russe», che servirà anche a tonificare i vostri muscoli addominali. Variate il gioco andando da una parte e poi dall'altra, ricominciando, e alternando la velocità di esecuzione.

Se il bambino desidera allungarsi con tutto il corpo di traverso alle vostre gambe, lasciatelo fare.

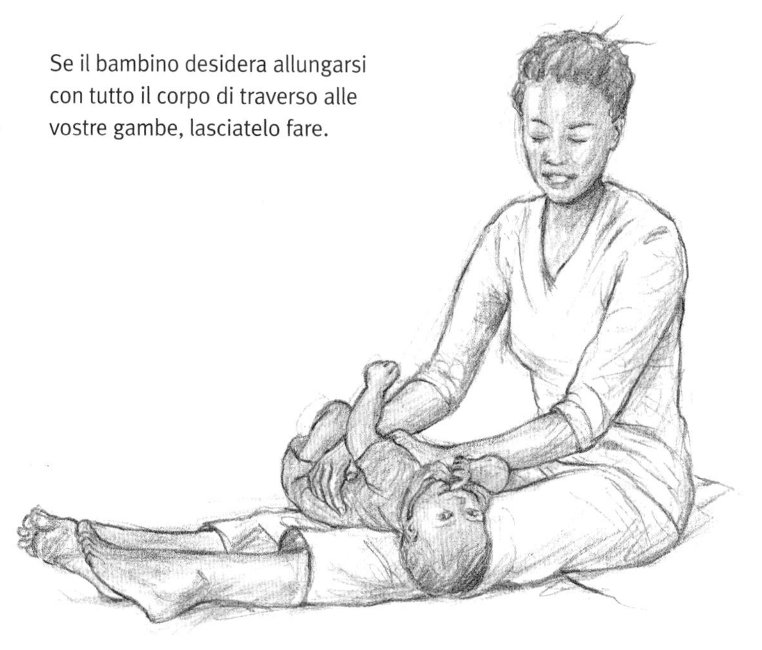

4 ...e srotolare

Tenendo le ginocchia leggermente piegate alla stessa altezza, fatele ruotare in senso antiorario se la testa del bambino è alla vostra sinistra (in senso orario se è alla vostra destra). Quando le ginocchia toccano terra, stendete le gambe in un movimento simile alle «montagne russe», che servirà anche a tonificare i vostri muscoli addominali. Variate il gioco andando da una parte e poi dall'altra, ricominciando, e alternando la velocità di esecuzione.

Se il bambino desidera allungarsi con tutto il corpo di traverso alle vostre gambe, lasciatelo fare. Se potete, afferratelo e baciatelo prima che riprenda a rotolare.

Solleva, scivola, rotola

Quando il bambino si sarà abituato a essere tenuto a testa in giù (vedi alle pagine 54-55), potete rendere il movimento più dinamico, combinandolo a scivolate in avanti e indietro e a rotolamenti su di voi. Se il bambino sembra voler fare più esercizi, aggiungete quelli illustrati qui di seguito, apportando qualche variante per rendere la sequenza più dinamica o acrobatica. **Attenzione:** come in tutte le posture a testa in giù, fate la massima attenzione a non forzare il collo del bambino quando lo riappoggiate sulle vostre gambe.

1 Solleva e scivola

Dopo qualche ripetizione, questa postura diventa un gioco in cui il neonato aspetta con impazienza che gli afferriate le caviglie per ricominciare.

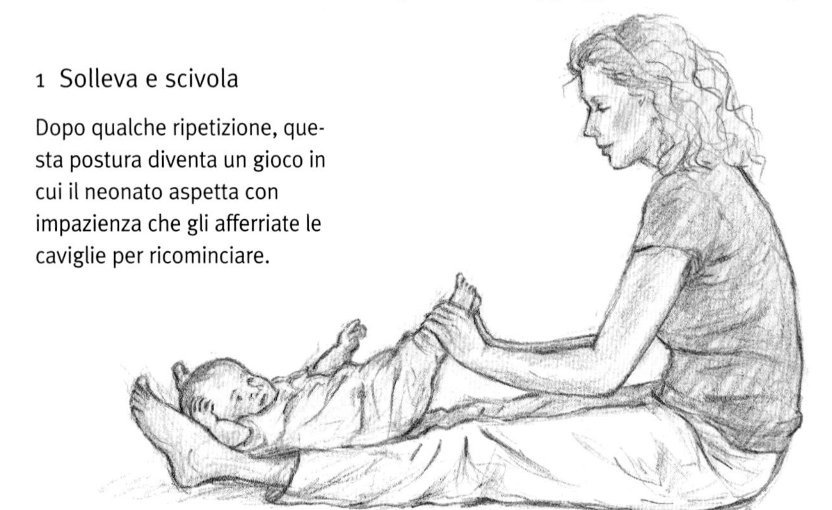

Stando sedute con le gambe allungate diritte, sdraiate il neonato sulle gambe (o fra di esse), con il viso rivolto a voi. Tenendo saldamente le caviglie con entrambe le mani, fatelo scivolare verso di voi e sollevatelo in aria.

Abbassatelo fino ad appoggiarlo a pancia in giù lungo le vostre gambe (quando solleva la testa, guarda verso di voi). Poi, prendendolo ancora per le caviglie, fatelo scivolare lungo di voi e sollevatelo di nuovo come prima.

Riappoggiatelo sulle vostre gambe, questa volta sulla schiena e con i piedini verso di voi.

Se al bambino piace, ripetete questa sequenza diverse volte e osservate come si allunga cercandovi quando atterra dopo che l'avete fatto girare.

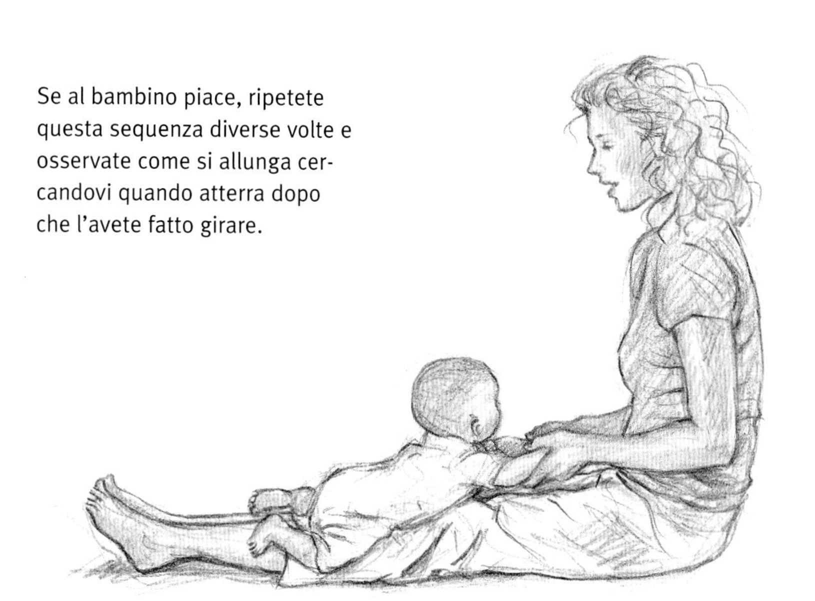

2 Volare con partenza dal pavimento

Dalla posizione illustrata a pagina 53, sdraiatevi sulla schiena con le ginocchia piegate a metà per sostenere il neonato e fatelo «volare».

3 Volo acrobatico

È un esercizio utile anche a tonificare e rinforzare i vostri muscoli addominali e la parte bassa della schiena.

Tenete il bambino saldamente sotto le ascelle e, con un movimento ampio e veloce, sollevatelo in aria. Mantenete la posizione per qualche istante, controllando la respirazione per aiutarvi. Non irrigidite le spalle e interrompete quando sentite tensione.

4 Rotolamento

Mentre riportate il bambino in posizione seduta e poi sdraiata, sfruttate lo slancio per portare le gambe oltre la testa. Se al bambino piace, ampliate il movimento fino a un mini-aratro (vedi pagina 77).

Si solleva da solo

Fin da quando aveva circa due mesi, avete abituato il vostro bambino ad aggrapparsi a voi piuttosto che ad essere tenuto (vedi pagine 46-7). Il suo tono muscolare si è gradualmente rinforzato al punto che afferra voi, o i vostri abiti, per cercare di alzarsi. Ora basta il minimo sostegno – un dito o una mano a proteggere la schiena – e sa mettersi seduto e poi in posizione eretta. Il vostro ruolo è di mero supporto fino a quando arriva il momento trionfale in cui «fa tutto da solo».

Con partenza da sdraiati

Il bambino è sdraiato sulla schiena di fronte a voi, sedute o inginocchiate, al termine per esempio della sequenza di esercizi per le anche: potete stimolarlo a tentare di sollevarsi in posizione seduta, facendogli tenere il vostro dito indice con le manine. Se avete iniziato a fare yoga con lui precocemente, può darsi che riesca subito a sedersi.

Attenzione: non sollevate il bambino tenendolo per le braccia ma lasciate che sia lui a trovare la forza per farlo. Voi suggerite solo il movimento che dev'essere compiuto e controllato dal vostro bambino.

Stando sedute, potete aiutare il neonato ad alzarsi. Fate sdraiare il bambino sul pavimento fra le vostre gambe divaricate. Tenete le braccia davanti a voi, con i gomiti piegati, e offrite due dita di sostegno al bambino. Se è pronto a farlo, userà questo supporto per mettersi seduto. In caso contrario, riprovate dopo qualche giorno. Forse il bambino si metterà seduto e, sentendosi comodo, sarà subito interessato a osservare quanto lo circonda. Assecondatelo, offrendo solo un minimo sostegno.

Può darsi che perda la concentrazione o si senta stanco e cada all'indietro. Cercate di essere abbastanza rilassate da seguire il suo movimento, sempre con le dita nelle sue manine, piuttosto di reagire tirandolo verso di voi. Quando rilassa i muscoli dorsali, assecondate sempre dolcemente il movimento di discesa.

Se il bambino muore dalla voglia di alzarsi in piedi, non frustratelo costringendolo prima a sedersi. Lasciate che si stiri e si allunghi: forse deve flettere le gambe qualche volta per radunare le forze per reggersi. Poi godetevi il suo sorriso di trionfo. Quando si sente stanco, cosa che all'inizio può accadere dopo pochi istanti, lasciate che si sieda e poi si sdrai.

Attenzione: quando sarà riuscito a mettersi seduto e poi in piedi, vorrà probabilmente continuare a farlo, fino a quando si sentirà esausto. È importante capire quando è il momento di smettere, per evitare una sovreccitazione. Abbracciate il bambino e spingetelo a fare qualcosa di completamente diverso, come l'altalena.

Partendo inginocchiati

Se, dopo una sequenza, il bambino atterra sulle ginocchia e contro la vostra gamba, potete aiutarlo offrendogli le vostre dita e incoraggiarlo ad alzarsi. Se è pronto a farlo, sarà felice dell'opportunità di allungarsi in un modo nuovo.

Partendo dagli esercizi d'equilibrio

Sedetevi con il bambino che guarda verso l'esterno, posato su una delle vostre gambe. Lasciate che si dondoli in equilibrio avanti e indietro come illustrato a pagina 60-1. Se il bambino sembra ben stabile e i piedini toccano terra nel movimento in avanti, fategli tenere gli indici e aumentate dolcemente l'ampiezza del dondolio. Può darsi che colga l'occasione per allungarsi e alzarsi in piedi prima di ricadere in posizione seduta e reclinata quando il dondolio lo riporta all'indietro.

Se trovate scomodo sostenere con le dita il bambino mentre siete di traverso, fatelo provare partendo da una qualsiasi posizione seduta, ad esempio mentre vi è, in grembo dandovi le spalle, come illustrato nella foto a fianco. Alcuni bambini proveranno ad allungarsi ancora di più fino a mettersi sulle punte, mentre altri si dondoleranno da soli con un movimento che li aiuta a rinforzare la parte inferiore della schiena.

Volare ancora più in alto e fare i tuffi

Quando il bambino è capace di sostenere il collo e ha una migliore capacità di controllo sul proprio corpo, è possibile sollevarlo più in alto partendo dalla posizione seduta o in ginocchio. È il momento in cui il bambino comincia a divertirsi quando lo fate «volare» in alto. Se il papà è rimasto deluso nei suoi primi tentativi di sollevarlo, può provare ora «alla maniera yoga»: rimarrà sorpreso nel vedere quanto piace al bambino volare in alto. Man mano che il piccolo diventa più pesante, è necessario che rinforziate il vostro braccio di sostegno. Per questi esercizi è più comodo stare in ginocchio piuttosto che seduti, ma verrà il momento in cui sarà necessario stare in piedi (vedi pagine 92-3).

Attenzione: all'inizio, tenere il bambino in equilibrio vi farà sentire come se correste con un uovo nel cucchiaio: esercitatevi su un letto o su dei cuscini. È un tipo di presa che vi farà sentire bene la forza dei muscoli dorsali del vostro bambino.

Davanti a voi

Sollevando il bambino in questo modo, lo aiuterete a rinforzare rapidamente la schiena, in modo che potrete sostenerlo con una mano sotto il sederino, mentre l'altra interverrà solo in caso di bisogno.

Usando la mano più forte per sorreggere il sederino e l'altra come sostegno intorno al petto, tenete il bambino diritto e, dando uno slancio con le braccia, sollevatelo in aria, sostenendolo quando ricade, con le mani sempre nella stessa posizione. All'inizio fategli fare un piccolissimo saltello allentando la presa solo un istante. Quando avrete più esperienza – e più forza – lasciate che si stacchi di più, afferrandolo quando ricade.

irato verso di voi

enete saldamente il bambino otto le ascelle, girato verso di oi, e, se riuscite, sollevatelo opra la vostra testa. Inspirate rima di sollevarlo ed espirate entre lo alzate.

oi, se volete, appoggiatelo sul ostro capo a faccia in giù. La ressione dell'addome sulla ostra testa lo farà ridere o forse afferrerà ai vostri capelli.

Attenzione: alzare il bambino controllando la respirazione, serve a non sforzare la parte bassa della vostra schiena mentre siete sedute.

Girato alla rovescia

Tenete saldamente il bambino sotto le ascelle, girato verso l'esterno e, se riuscite, sollevatelo sopra la vostra testa. Inspirate prima di sollevarlo ed espirate mentre fate il movimento. Fatelo sedere su una spalla o sulla vostra testa prima di abbassarlo e farlo sedere tra le vostre gambe.

Altri esercizi di equilibrio

Prima che il bambino impari a stare seduto o in piedi da solo, gli esercizi di equilibrio lo aiuteranno a trovare il centro di gravità e a distribuire il proprio peso nelle diverse posizioni. Sicuro tra le vostre braccia, impara a rilassarsi senza temere di perdere l'equilibrio per qualche istante poiché sa che lo ritroverà in un altro modo. Gli esercizi di equilibrio per bambini oltre i quattro mesi, permettono sia di fare più movimento rispetto a quelli per i più piccoli sia di farli divertire senza rischi. Il bambino sa che siete sempre pronta ad afferrarlo e che può lasciarsi cadere. Suggerite il movimento e lo controllate, mentre il bambino risponde passivamente e impara a rilassarsi mentre lo fa.

Da seduti a in piedi

Questi esercizi aiuteranno il bambino a imparare a sostenere tutto il peso del corpo e, in una fase successiva, ad avere fiducia e consapevolezza dei rischi.

Esercizi di equilibrio stando seduti

Mettetevi sedute o in ginocchio, ben comode, con il vostro bambino. Con un braccio a mo' di sbarra di sostegno (vedi pagina 60), fate sedere con l'altra il bambino di traverso su una delle vostre gambe. Con le vostre braccia spingete pian piano il bambino un po' in tutte le direzioni, impedendogli sempre di cadere. Lasciatelo ricadere sulla vostra gamba prima di spingerlo in una direzione diversa.
Se, quando lo spingete in avanti, il bambino prova ad alzarsi in piedi, lasciatelo fare (come descritto alle pagine 82-83). Se non è ancora abbastanza forte da sostenersi, può darsi che cada sulle ginocchia: può trasformarsi in un gioco vivace in cui il bambino si diverte a cadere avanti e indietro.

Altri esercizi di equilibrio e di caduta

Il bambino sviluppa gradualmente la capacità di restare in equilibrio e, facendo forza sui piedi, sarà in grado di raggiungere il vostro braccio che fa da sostegno, prima di ricadervi in grembo. Incoraggiatelo anche con la vostra voce. Per un esercizio di equilibrio e caduta, non sostenetelo con la mano da dietro: solo la mano o il braccio a sbarra gli impediscono di cadere in avanti, mentre è libero di ricadervi in braccio.

Quando avrà una certa autonomia di equilibrio e la schiena sarà abbastanza forte, provate a fare una «grande caduta» in cui gli lasciate cercare l'equilibrio da solo mentre gli tenete solo le manine.

- Piegate le ginocchia e fate sedere il bambino sulla sommità, tenendolo per le manine. Inspirate e poi lasciate cadere le gambe a terra espirando, con un movimento più o meno deciso a seconda dell'età e del temperamento del bambino. (Potete accompagnare il movimento con qualche canzoncina o filastrocca).

Stare in equilibrio in piedi

Quando il bambino è quasi pronto a stare in piedi da solo, fategli provare un esercizio di equilibrio partendo dalla posizione seduta per arrivare a quella in piedi.

- Fatelo sedere sulle vostre ginocchia, con i piedini appoggiati a terra. Con un braccio, sostenetegli il petto e lasciatelo andare in avanti, in modo che trovi l'equilibrio, leggermente inclinato in avanti
- Riportatelo in posizione seduta, premendo dolcemente sul petto con il braccio.

Quando sarà più esperto nello stare in piedi, aiutatelo a stare in equilibrio in questa posizione con uno slancio. Ogni volta che si butta in avanti contro la sbarra del vostro braccio, rimandatelo delicatamente indietro, sempre in piedi, mentre lo sostenete con la mano dietro il sederino, facendo un movimento ad altalena.

Sollevare il bambino da terra con lo yoga

Man mano che il bambino diventa più pesante, è prioritario proteggere la vostra schiena quando lo sollevate. Anche per lui è importante che lo facciate nella maniera corretta: non deve sentirsi costretto. Se sarete capaci di farlo sentire libero e felice quando lo prendete in braccio, servirà a ricordarvi l'importanza dello yoga in tutti i movimenti quotidiani. Potete tonificare ulteriormente i vostri muscoli addominali e al tempo stesso fare divertire il bambino ancora di più, alzandolo in alto sopra la vostra testa.

Accovacciarsi e alzarsi

Non è necessario che solleviate il bambino con un solo movimento. Prima provate senza il bambino: può diventare un piacevole esercizio di stretching ogni volta che dovete sollevare il neonato. La vostra schiena si adatterà all'aumento graduale del peso del bambino.

- Prima di iniziare, allungate la spina dorsale, alzando le braccia sopra la vostra testa mentre piegate le ginocchia e tenete la schiena diritta come se doveste sedervi su uno sgabello immaginario.
- Abbassate le braccia e poi rialzatele mentre stendete le gambe. A piedi leggermente divaricati, piegate nuovamente le ginocchia e sollevate il bambino con lo stesso movimento, tenendolo saldamente sotto le ascelle. Espirate mentre lo raccogliete ed inspirate durante il sollevamento.

Far rotolare sul braccio in posizione di sicurezza

Per sollevare il bambino dal suolo, usate la posizione di sicurezza che avete adottato fin dalle prime settimane. Ora potete renderla più dinamica e divertente per il bambino e allo stesso tempo più facile per voi quando diventa più pesante. È anche il modo migliore per sollevare un bambino che dorme senza disturbarlo.

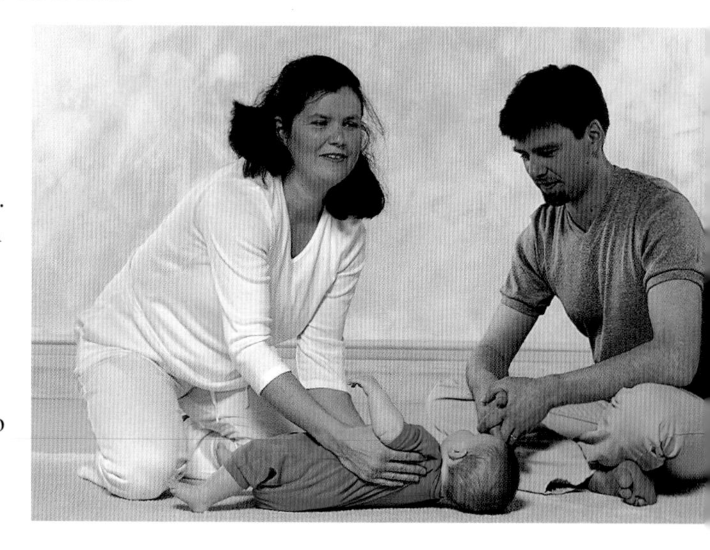

- Piegate le ginocchia tenendo i piedi allargati oltre i fianchi per avere più stabilità (o iniziate stando in ginocchio). Fate scivolare il braccio di sostegno sotto il bambino e, se era supino, rovesciatelo con l'altro braccio verso il primo.

- Tenendo una mano sotto il sederino, raddrizzate le gambe e rialzatevi (o passate dalla posizione in ginocchio, come illustrato più sotto) sollevando anche il bambino, con uno sforzo minimo per la schiena e con la massima libertà per il bambino.

Slancio e sollevamento

Se sentite le ginocchia rigide, potete sollevare il bambino dal pavimento stando in piedi e inclinate in avanti. Esercitatevi a sollevarlo da entrambe le parti per evitare di affaticare la schiena.

- Mettetevi di fianco al bambino con una gamba più avanti dell'altra. Chinatevi appena con la gamba indietro un po' piegata e preparatevi oscillando le braccia.
- Slanciate le braccia all'indietro, allungatevi e, mentre riportate le braccia in avanti, sollevate con entrambe le mani il bambino sotto le ascelle, distendendo la gamba di dietro e piegando quella davanti. Cominciate a sollevare al termine di un'espirazione e inspirate a fondo durante il movimento.

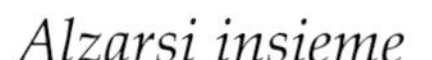

Alzarsi insieme

È un movimento più facile di quanto sembri, specialmente se il bambino è abbastanza pesante da fare da contrappeso. Se lo farete tutti i giorni, questo esercizio vi renderà più forti e agili.

- Inginocchiatevi sul pavimento, prendete il bambino che avrete di fronte, tenetelo sotto le ascelle e, inspirando, spostate il centro di gravità in avanti. Sollevatevi insieme, tenendo il bambino scostato da voi.

Alzarsi partendo dalla posizione in ginocchio

Un modo sicuro e stabile per sollevare il bambino e un adattamento in due fasi della posizione del guerriero inginocchiato. Una buona respirazione addominale renderà più facile e meno faticoso il movimento.

- Inginocchiate di fronte al bambino e con la schiena diritta, portate un piede avanti di fianco a lui in modo che sia perpendicolare al ginocchio. Prendere il bambino sotto le ascelle e mettetelo seduto sul ginocchio piegato, di fronte a voi o, se era a pancia in giù, girato verso l'esterno.
- Inspirate e spostate in avanti il centro di gravità. Abbassando quanto più possibile il sedere, fate forza sul piede anteriore e sollevatevi, sostenendo il bambino mentre espirate. All'inizio potete aiutarvi piegando all'ingiù le dita del piede posteriore.

Tenere in maniera rilassata un bambino più pesante

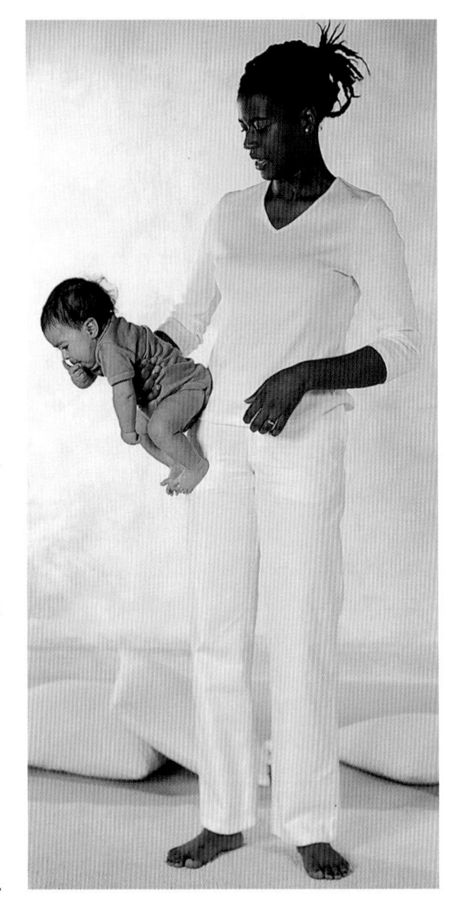

Tenere il vostro bambino in modo rilassato (vedi anche pagine 36-7) vi aiuta a salvaguardare la schiena e vi fa sentire più a vostro agio: anche il neonato si accorgerà della maggior stabilità con cui lo portate. Durante la sua crescita, modificate a intervalli regolari il modo di tenerlo, controllando la sua posizione rispetto al vostro corpo (vedi tabella in basso) e adattando di conseguenza la lunghezza dei marsupi.

Adattare la posizione di sicurezza

Una variante della posizione di sicurezza quando sentite il braccio di sostegno stanco o se volete avere una mano libera, è di appoggiare il sederino del neonato sulla vostra anca. È un'alternativa preferibile al più comune modo di far sedere il bambino a cavalcioni sul fianco, che potrebbe causare un'asimmetria pelvica e, a lungo termine, problemi di postura e deambulazione. È molto meglio usare la vostra anca come sostegno, con la stessa funzione della mano nella posizione di sicurezza abituale.

- Fate sedere il neonato sul vostro fianco, girato verso l'esterno, sorreggendolo con il braccio al petto. In questo modo potete camminare liberamente e usare l'altra mano, mentre il bambino ha la possibilità di guardarsi intorno. Rilassate la spalla quanto più possibile in modo che il braccio faccia da «sbarra» e il peso del bambino sia sull'anca.

Verificate la posizione

Per avere la massima libertà di movimento mentre sorreggete il bambino in maniera rilassata, dovete trovare un centro di gravità comune. Per far questo, ponetelo di fronte a voi, di faccia o di spalle, come preferite. Tenendolo sotto le ascelle, abbassatelo diverse volte dal petto fino all'addome, con un movimento lento e rilassato. Provate diverse volte, espirando, e cercate di capire in quali posizioni del movimento vi sentite meglio. Quando avrete identificato uno o due punti, fate la seguente verifica, tenendo lì il bambino:

- Siete libere di piegare le ginocchia a schiena diritta?
- Potete respirare liberamente, mantenendo il petto ben aperto?
- Siete in grado di muovere braccia e gambe – una per volta – mentre tenete comodamente il bambino in questa posizione?

Se vi sentite in forma, provate ad alzare una gamba tenendola diritta. Rilassate braccia e spalle, accertandovi di non avere nessuna tensione residua. Sciogliete le mani scuotendole (farà divertire il bambino).

Appoggio del «pompiere» con un braccio che sostiene
Tenere il bambino in questo modo è lo sviluppo della posizione rilassata sulla spalla illustrata a pagina 40 per bambini più piccoli. Se non l'avete già provata, sarà necessario qualche tentativo prima che il bambino si rilassi in questa posizione, ma lo aiuterete passeggiando. Potete adottare questa maniera di tenere il bambino durante tutto il periodo di crescita fino ai sei anni.

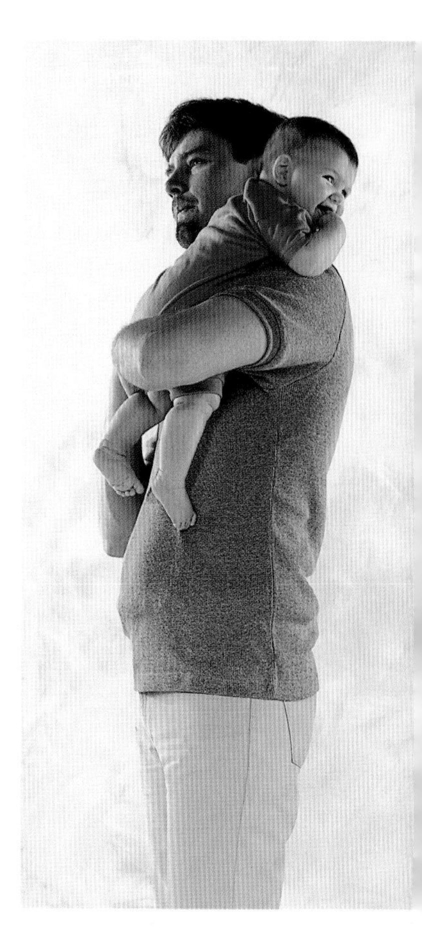

- Appoggiate il petto del bambino sulla vostra spalla lasciando che le sue braccia penzolino sulla vostra schiena, in modo che, se lo desidera, possa rilassare completamente la testa sulla vostra spalla sentendosi in equilibrio mentre lo trasportate.
- Potete dare un ulteriore sostegno piegando sotto il sederino il braccio che è dallo stesso lato dell'appoggio (anche se vi accorgerete che la spalla sostiene comunque tutto il peso del bambino).

Posizione sottobraccio «rilassata»
È una posizione adatta per le passeggiate, che stimola il rilassamento e il sonno del bambino. È consigliabile anche per i momenti in cui vi sentite particolarmente tese o ansiose perché evita di convogliare attraverso un contatto diretto le vostre emozioni negative. Sarà più facile allentare la tensione se, mentre camminate, fate dei respiri profondi.

- Dalla posizione di sicurezza o da quella sul fianco, portate il bambino all'altezza della vita in modo che sia prono, con il vostro braccio intorno a schiena e petto. In questa posizione, molti neonati, in particolare se hanno meno di sei mesi, tendono ad «afflosciarsi».
- Tenendo il bambino in questo modo tentate di fare qualche saltello o una piccola corsa (vedi anche le passeggiate descritte alle pagine 94-95) e osservate le sue reazioni.

Attenzione: se il collo del bambino non ha ancora una muscolatura forte, è meglio usare questa posizione solo per camminare.

Ancora voli in alto e tuffi

Quando il bambino si sarà abituato ai «voli» e alle cadute con partenza da seduti o in ginocchio, potete provare a farne di più grandi, stando in piedi.
Iniziate e terminate il movimento con la presa rilassata, ampliandolo gradualmente: vi servirà ad acquisire forza e destrezza nel maneggiare il bambino. Per tutte queste posture usate entrambe le mani per sollevare e per riprendere il neonato oppure adoperate la mano di sostegno principale sotto il sederino mentre l'altra sosterrà il petto. Se pensate che questo tipo di esercizi non faccia per voi o per il vostro bambino, passate ad altri esercizi che entrambi gradite di più.

Punti da ricordare

- Il pavimento o la superficie su cui vi trovate devono essere privi di ogni genere di ostacoli o giocattoli.
- Prima di fare l'esercizio in piedi, esercitatevi qualche volta stando sedute sul letto o su cuscini fino a che avrete acquisito sicurezza.
- Non appena avvertite un senso di tensione smettete subito e rilassatevi con il vostro bambino.

Volo con piccola caduta

Sorreggete il bambino in posizione di sicurezza, con una mano a sostenere il sederino e la schiena diritta. L'altra mano tiene morbidamente il petto del bambino.

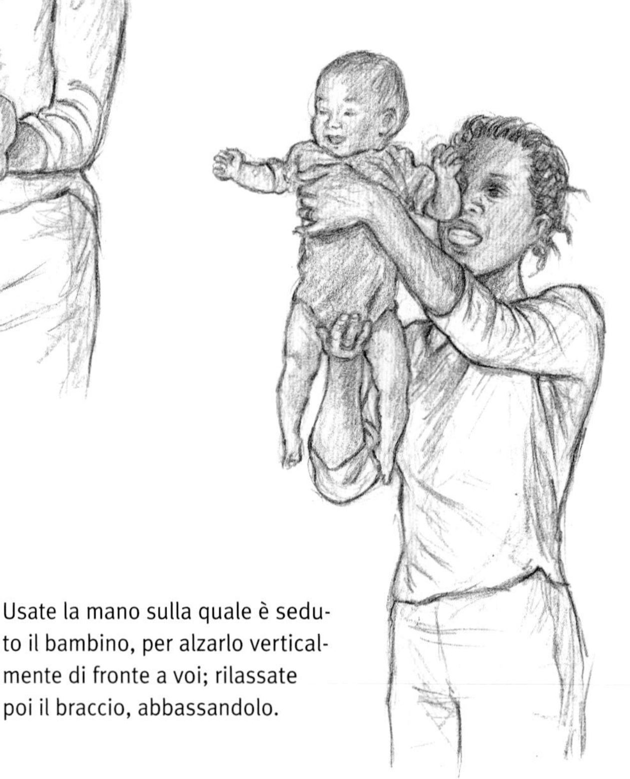

Usate la mano sulla quale è seduto il bambino, per alzarlo verticalmente di fronte a voi; rilassate poi il braccio, abbassandolo.

1 Volo in alto con piccola caduta

Questa è la versione in piedi dell'esercizio di pagina 85 e, quando il bambino è pronto, può essere trasformato in un lancio in aria.

Attenzione: se alzate molto il bambino, piegatevi leggermente sulle ginocchia e non inarcate la schiena.

2 Lanci in aria

La maggior parte dei bambini si diverte molto con i lanci in aria, ma fate attenzione a non farne più di due o tre per volta, poiché possono sovreccitarli.

Partendo con il neonato seduto sulla vostra mano (vedi pagina 92), con uno slancio lasciate andare la mano di sostegno mentre lo spingete in aria e riafferratelo con entrambe le mani quando ricade.

Attenzione: siate pronte a riceverlo quando ricade: il peso potrebbe coglervi di sorpresa.

3 Fare sollevamento pesi con il vostro bambino

La respirazione profonda fa di questa posizione un esercizio yoga e non semplicemente un esercizio di «sollevamento pesi» con il vostro bambino. I muscoli addominali sollecitati dalla respirazione, stimolano ogni funzione del vostro corpo.

Per una migliore stabilità, appoggiate un piede avanti. Con il bambino posato sulla vostra testa, girato indifferentemente verso l'alto o verso il basso, sollevatelo in alto tenendolo saldamente sotto le ascelle. Inspirate mentre estendete le braccia ed espirate mantenendo l'allungamento. Mentre vi allungate verso l'alto anche il bambino si allungherà.

Prima di abbassarlo delicatamente, continuate per quanto vi è possibile una respirazione profonda.

Fare stretching passeggiando

Più fate yoga con il vostro bambino più facile sarà per lui rilassarsi mentre vi si aggrappa sempre meglio mentre lo portate. Passeggiare facendo stretching combina lo stimolo fisico per il vostro bambino con l'esercizio per rinforzare i vostri muscoli di schiena, gambe e braccia. L'esercizio sarà ancora più piacevole se, passeggiando, controllerete la respirazione, ed eseguirete la sequenza in modo da fare entrambi uno stretching generale, anche se state solo camminando in giardino o se fate il giro dell'isolato. Per divertire il bambino, potete anche integrare gli esercizi con posture in piedi e con sollevamenti.

Ritmo di camminata

Per evitare di stancarvi se avete fretta di arrivare in un posto con il vostro bambino, provate il ritmo adottato dalle madri dell'Amazzonia. Piegate le ginocchia un po' più del solito, mantenete la schiena diritta e aumentate la velocità facendo passi piuttosto brevi. Camminate, trascinando quasi i piedi e mantenendo il corpo il più possibile fermo.

Passeggiata di rilassamento

Qualsiasi posizione di sostegno in maniera rilassata, tra quelle illustrate alle pagine 90-1, va bene. Quando avrete più esperienza, saprete portare il bambino con più scioltezza, come illustrato qui di seguito.

Sorreggete il bambino all'altezza della vostra vita, cingendogli il petto con l'avambraccio e infilando la mano sotto la sua ascella. Rilassate spalle e mascella e respirate liberamente.

Tenete un ritmo di camminata piacevole, liberando le spalle da ogni tensione e senza dondolare le anche. Controllate la respirazione e cercate di rendere il passo elastico, piegando e allungando alternatamente le ginocchia. Questo divertirà il bambino e servirà a tonificare i vostri muscoli addominali.

Man mano che il peso del bambino aumenta, piegate un po' di più le ginocchia.

Saltare e correre

Per dare al bambino un maggior senso di movimento durante la passeggiata, provate qualche volta a saltare. I neonati adorano il contrasto tra momenti di quiete, in cui osservano pacificamente quanto li circonda, e momenti di intensa attività.

Saltare serve a fare stretching alle gambe a un ritmo piacevole per voi e per il bambino. Se vi piace correre, fate un po' di jogging in maniera dolce, usando un marsupio o un altro sostegno adeguato per il bambino.

Attenzione: non saltate o correte con il bambino tenuto in uno zaino finché la testa non sarà completamente al di sopra del bordo superiore. Un marsupio morbido, di fronte o sulla schiena, è ideale per correre con il bambino.

Danzare

Danzare è un metodo antico per stimolare e al tempo stesso calmare i bambini, e vi consente anche di divertirvi con lui. Provate diversi tipi di musica per scoprire quella che preferisce. I bambini più grandi si divertono a ballare con voi di fronte a uno specchio in cui si vedono muovere.

Passeggiate buffe

Tutti i neonati hanno uno spiccato senso dello humour e sono sensibili a movimenti fuori della norma, con un elemento buffo. Fare questi movimenti mentre è in braccio a voi, risveglierà senza dubbio il suo senso umoristico e lo renderà più cosciente del proprio corpo e delle sue reazioni. Molto prima di essere capace di inventare i suoi personali esercizi di piccolo clown, il neonato sa distinguere una camminata buffa esattamente come percepisce la danza come attività distinta.

Lo yoga non è solo «serio»: infatti molte posture sono mediate dall'imitazione di movimenti animali, alcune in modo molto espressivo. Per trovare fonte d'ispirazione, guardate alla TV i cartoni animati con protagonisti animali. Il segreto per fare dei movimenti buffi sta nel rilassarsi mentre ci si muove. Alternate passi veloci e lenti, camminate all'indietro, usate un ritmo sincopato: sono tutti metodi sicuri per divertire il vostro bambino.

Passeggiate tonificanti

Potete usare le passeggiate con il vostro bambino per migliorare il vostro tono energetico. Il movimento e il ritmo della camminata rendono facili esercizi che sarebbe impossibile fare da fermi senza tensione e sforzo. Anche il bambino ne trarrà beneficio sperimentandone la dinamica e l'energia. Ogni postura yoga comporta un flusso di energia: queste posizioni in movimento arricchiranno considerevolmente la memoria «fisica» del vostro bambino.

1 Camminata con sollevamento del ginocchio

La respirazione addominale profonda durante questo esercizio, servirà a tonificare la parte bassa della schiena e i muscoli addominali.

Mentre camminate sostenendo il bambino, piegate e sollevate le ginocchia. Interrompete ogni tanto e riposate appoggiando un piede su un gradino o su una sedia. Inspirate e, mentre sollevate il bambino, espirate.

Ripetete due o tre volte alternando la gamba in appoggio al medesimo sostegno.

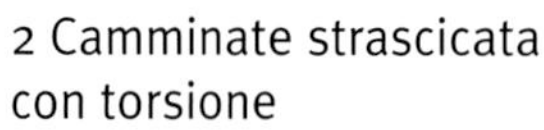

2 Camminate strascicata con torsione

Questa camminata energica prevede una torsione spinale.

Sollevate le ginocchia come prima e spingete il bambino verso il lato della gamba piegata, che spingerete all'interno. Fate il passo allungando la gamba posteriore. Inspirate ogni volta che sollevate la gamba ed espirate cambiando gamba.

3 Camminata del guerriero

Vedrete che una volta imparati i movimenti, potrete calmare in pochi istanti anche i bambini capricciosi.

Per prima cosa camminate, facendo sedere il bambino alternativamente sulle ginocchia piegate. Cambiate ginocchio ad ogni passo.

Ora sollevate il bambino di fronte a voi, allungandovi in avanti partendo dai fianchi.

Continuate a camminare e sollevate il bambino sopra la vostra testa, con l'aiuto dei muscoli addominali e pelvici.

4 Camminare rilassandosi

Il modo ideale di concludere queste sequenze è una camminata rilassante(vedi pagina 66): servirà a dare quel senso di completezza che è parte integrante dello spirito yoga. Quanto più dinamica ed energica è la parte iniziale, più indispensabile diventa rilassarsi per equilibrare attività e riposo.

Altalene di ogni tipo

Con il passare delle settimane vi accorgerete che il piacere di essere dondolati sostituisce quello dell'essere cullati. Quando il bambino è stanco, di malumore o ha semplicemente voglia di essere coccolato, il rimedio migliore resta quello di cullarlo; ma ancora prima di essere capace di andare in altalena da solo, il bambino adora essere dondolato. Gli esercizi illustrati qui di seguito sono adattati da posture yoga e sono pensati per proteggere la vostra schiena. Potete abbinarli a sollevamenti e voli in aria, come punto culminante di sequenze che potete sviluppare con il vostro bambino al termine di questa fase della sua crescita. Quando sarà quasi pronto a stare seduto, questi dondolii possono aiutarlo ad acquisire la forza e il senso di equilibrio di cui ha bisogno. Saranno anche fonte di emozione e stimolo per le sue future esperienze al parco giochi.

Attenzione: tenete sempre il bambino saldamente ai due lati della gabbia toracica, sotto le ascelle e mai per le braccia. Questo per proteggere i legamenti della spalla e favorire l'allineamento ottimale della spina dorsale e consentire il pieno contatto fisico tra genitore e neonato.

Oscillazione controllata

Stando in piedi a gambe divaricate, tenete il neonato saldamente sotto le ascelle, girato verso l'esterno. Piegatevi leggermente e fatelo oscillare avanti e indietro, dapprima piano e poi con più energia: flettete le ginocchia durante il movimento per non affaticare la schiena.

Se al bambino piace fare l'altalena e ama anche i voli in aria, continuate il movimento in avanti trasformandolo in un sollevamento: lasciatelo poi ricadere per dondolare di nuovo avanti e indietro.

Potete alternare a sorpresa dondolii e sollevamenti: i bambini oltre i cinque mesi adorano questo tipo di gioco.

Oscillazione da posizione seduta

Mentre il bambino è sdraiato sulla schiena, mettetevi in piedi dietro di lui, a gambe divaricate. Flettete le ginocchia e afferratelo sorreggendolo con gli avambracci sotto le sue braccia. Sollevatelo in posizione seduta. Unitegli i piedi, aprendogli le ginocchia nella posizione della farfalla e continuando a tenerlo sotto le ascelle.

Fatelo dondolare avanti e indietro fra le vostre gambe, iniziando con un piccolo movimento. Potete aumentarne l'ampiezza o trasformarlo in un movimento laterale o circolare davanti a voi. Con la pratica, potrete anche alzare o abbassare il bambino mentre gira in cerchio.

Lo yoga in compagnia

Se avete già iniziato la pratica yoga insieme a un'amica, al marito o compagno, noterete che é più divertente. Trovarsi regolarmente con altre persone per fare yoga insieme ai loro bambini può essere molto gratificante.

Le posizioni qui illustrate sono solo un suggerimento di quello che potete fare una volta che avete sviluppato la pratica yoga con il vostro bambino. Le possibilità sono praticamente illimitate e parte del piacere sta proprio nello scoprire nuove possibilità in un ambiente di mutuo sostegno.

Lo yoga oltre a favorire la comunicazione non-verbale con i neonati, stimola anche quella fra adulti. Mentre le riunioni per il caffè con le amiche si risolvono per i bambini in un ruolo totalmente passivo, una sessione yoga di gruppo comporta una buona dose di «gioco» in cui i genitori sono coinvolti, suscitando un'atmosfera di allegria che i bambini adorano.

Coinvolgere il bambino nella vostra pratica yoga

Se desiderate fare yoga anche per voi, potete far partecipare il bambino alle vostre sessioni. Il tipo di comunicazione che si stabilisce, può essere una base per altre attività che fate per voi stesse senza tuttavia che il bambino si senta «escluso». Anche se la vostra attenzione non è focalizzata su di lui – effettivamente state facendo qualcosa per voi stesse – tuttavia non si sentirà ignorato. Viene così incoraggiata una sempre migliore comprensione dei diversi modi in cui potete interagire. Il bambino scoprirà che gli è possibile fare delle scelte: può ignorarvi e giocare da solo, oppure imitarvi o reclamare la vostra attenzione. Sentendosi libero di scegliere, sarà felice di partecipare alla vostra sessione yoga.

Libertà e spazio

Il bambino può volervi stare vicino durante tutti gli esercizi, oppure solo per alcuni o per nessuno. Da parte vostra, potete desiderare di averlo sempre accanto quando è sveglio o solo qualche volta; potete anche preferire fare yoga mentre dorme o è accudito da qualcuno. Date al vostro bambino e a voi stesse la possibilità di cambiare idea. Se vi è vicino durante gli esercizi, dategli la maggior libertà possibile, compatibilmente con la sicurezza: è importante dargli spazio fisico e mentale mentre è con voi in modo da non incoraggiare una dipendenza passiva. Se vuole essere consolato, cullatelo pure, altrimenti, dategli spazio.

Comunicare attraverso lo yoga

Quando fate yoga, anche in modo del tutto involontario, rendete il bambino partecipe del vostro proposito. Se lo yoga giocava un ruolo importante nella vostra vita fin da prima che il bambino nascesse, coinvolgere vostro figlio nella pratica yoga significherà stabilire un legame tra passato e presente. All'inizio di ognuna delle vostre sessioni insieme, potete manifestare la vostra intenzione di iniziare con una frase come ad esempio «Oggi voglio darti spazio nel mio mondo e sono felice di questo cambiamento». In seguito, potrete cambiare la frase a intervalli regolari.

Attenzione: fate sempre attenzione a quel che fa il bambino e, se assumete posizioni rovesciate, tornate a terra con cautela se il bambino è in grado di muoversi da solo.

Punti da ricordare

- Fissate delle routine di esercizi piuttosto brevi e mantenetele per due settimane in modo che il bambino, dopo qualche giorno, memorizzi le sequenze.
- Scegliete le posizioni che vi sembrano più adatte a lui.
- Non mostratevi impazienti se il bambino vi interrompe durante un esercizio: consolarlo è sempre la cosa più importante e gli fa capire che rispettate le sue esigenze. Non è così che si vizia un bambino. Se questo accade spesso e vi sembra di non riuscire a fare yoga quando è con voi, leggete con attenzione il capitolo 5 e cercate di rilassarvi con lui. Rilassarsi insieme facilita una migliore interazione fra voi anche in altri momenti.
- Mostrate chiaramente al bambino quando iniziate o terminate la sessione, ad esempio srotolando e quindi arrotolando il tappetino per gli esercizi.

Verso uno yoga indipendente

Favorire la partecipazione del neonato al vostro yoga significa incoraggiare il suo progressivo distacco verso uno yoga indipendente. Il neonato ha mostrato segni di autonomia fin dalle prime reazioni allo stimolo dei movimenti durante la sequenza per le anche. Ha imparato a rotolare, stare seduto e a gattonare. Avete seguito ogni sua evoluzione e talvolta l'avete anticipata con lo yoga. Ha rinforzato schiena e gambe ed è pronto a stare diritto in piedi e cominciare a camminare. Sembra che sia finito il tempo dello yoga per neonati, ma è ancora possibile continuare a fare yoga con lui.

La routine di base

Ad alcuni bambini piace l'abbinamento di massaggio e yoga, mentre altri preferiscono iniziare subito gli esercizi: assecondate i desideri di vostro figlio.

• Dategli la possibilità di valutare meglio il peso del suo corpo con:
le posture in piedi e gli esercizi di equilibrio
la sequenza di rovesciamento all'indietro
gli esercizi per alzarsi in piedi
gli esercizi in appoggio sulle mani (come fare la «carriola»)

• Invitate il bambino a copiare i vostri movimenti ad esempio quando fate la posizione del cane (vedi sotto)

• Evidenziate il contrasto tra esercizi di stretching e di rilassamento:
allungatevi verso il cielo/ raggomitolatevi come una pallina

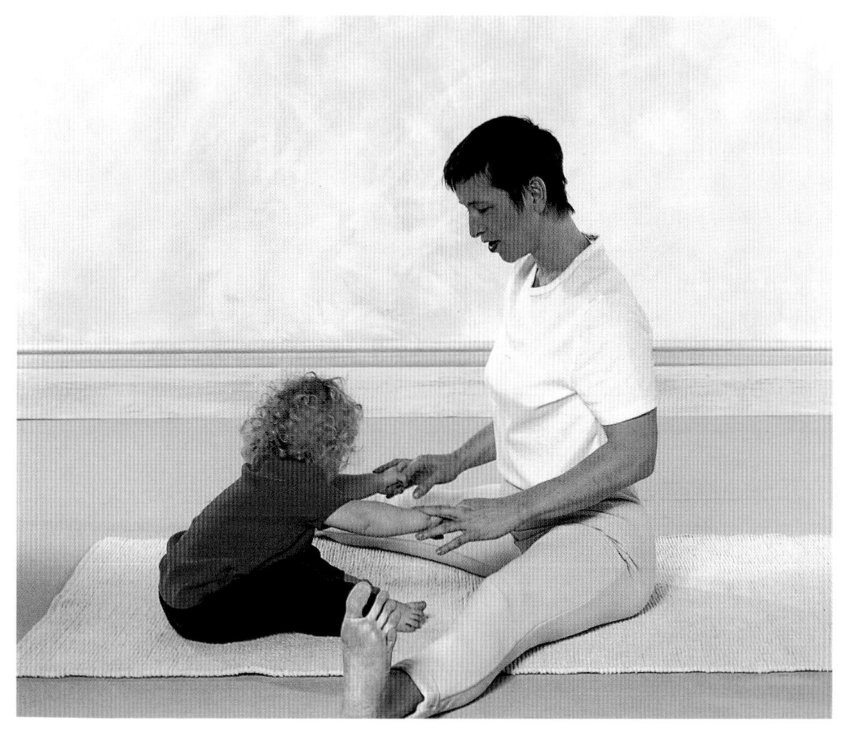

«Con lo yoga per neonati, Aimee è diventata agile: si diverte ad assumere le diverse posizioni yoga e copia i miei esercizi. Ci divertiamo tantissimo insieme. Grazie allo yoga ho anche imparato a prenderla in braccio e a portarla in modo sicuro e piacevole, e allo stesso tempo ho rinforzato e allungato tutta la muscolatura.»

Sciogliersi e rilassarsi

Man mano che lo yoga con il vostro bambino diventa più dinamico ed energico, è sempre più problematico terminare la sessione con il rilassamento. Il bambino, crescendo, diventa sempre più attivo e forse comincia a ribellarsi ai vostri tentativi di farlo riposare durante il giorno, in particolare se si è abituato a dormire senza interruzioni durante la notte. Il bambino tra i quattro e gli otto mesi si sovreccita facilmente ed è importante limitare il numero di movimenti, come i voli, le cadute o le altalene che costituiscono uno stimolo forte. Se si esagera, il bambino raggiungerà un tal punto di agitazione che finirà inevitabilmente per sentirsi frustrato e mettersi a piangere. Nell'attività yoga è importante mantenere il giusto equilibrio tra attività e riposo e dovete permettere a vostro figlio di «sciogliersi» nel rilassamento al termine di ogni sessione.

È noto l'effetto calmante che le posture yoga hanno sul sistema nervoso. Tuttavia lo yoga per neonati è un adattamento delle posture classiche e l'elemento statico perde la sua valenza. Il genitore deve saper comunicare il senso di quiete attraverso il modo di sostenere il bambino in modo rilassato e, come è spiegato nel capitolo seguente, attraverso il rilassamento. Al termine di ogni sessione, la semplice tecnica di «tenere in modo intenzionalmente rilassato» il neonato, può aiutarlo a «sciogliersi» prima del rilassamento vero e proprio o sostituirlo, se la sessione deve per forza di cose essere breve.

Il modo migliore di completare la sessione yoga con un bambino più grandicello è sempre quello di stendersi in Shavasana, la posizione del cadavere. Le ragioni per abbreviare la sessione possono essere tante, ma più a lungo riuscite a rilassarvi entrambi, meglio vi sentirete.

Sostenere in modo intenzionalmente rilassato

State in piedi in una qualsiasi delle posizioni di sostegno rilassato (vedi pagine 90-1), oppure camminate lentamente in cerchio, tenendo il bambino a contatto del vostro corpo nel modo più comodo e sciolto possibile. La differenza sta nel fatto che cominciate a farlo di proposito. Questo significa che siete in grado di comunicargli silenziosamente, attraverso la mente e il corpo, che è il momento di lasciarsi andare e rilassarsi dopo l'attività. Usate le tecniche già illustrate per concentrarvi, adoperando la respirazione per abbandonare ogni tensione (vedi pagine 16-7 e 67) mentre siete in piedi, sedute o state camminando lentamente. Sentite il ritmo della respirazione e cercate di prolungare l'espirazione per rallentare il ritmo respiratorio. Se il bambino protesta, si agita, piange o addirittura urla, tenetelo dolcemente ma con fermezza e continuate a fare quello che avete deciso, sia che siate in piedi, sedute o stiate passeggiando, sempre cercando di mantenere la concentrazione. Potete anche parlare con calma al bambino spiegandogli che è ora di riposare. Più proverete a rilassarvi insieme, come spiegato nel capitolo 5, più facile sarà per il bambino capire il vostro proposito.

Difficoltà a rilassarsi

Può essere frustrante se il bambino entra in uno stato di agitazione e nulla sembra servire a calmarlo. Se i vostri tentativi sono andati a vuoto e sentite che state accumulando tensione, provate a cantare – qualsiasi genere di musica vi venga in mente va bene – e muovetevi seguendo un ritmo che sia calmante per voi e per il bambino che terrete in braccio. Il ritmo può essere vivace o più lento: è importante che vi permetta di tenere tranquillo il bambino e di rilassarvi pian piano.

Quando vi sentirete libere da ogni tensione, sedetevi con il bambino continuando a muovervi ritmicamente, ad esempio facendo delle oscillazioni. Ora è la volta del bambino di calmarsi: nel calore del vostro abbraccio lo sentirete ritornare tranquillo. Lo yoga calma, in questo modo, l'intero sistema nervoso del neonato (in modo molto più efficace del succhiotto). Questo processo di «scioglimento» della tensione accumulata da voi e dal bambino diventerà sempre più facile se ripetuto diverse volte.

5 Ancora sul rilassamento

L'idea di un neonato che si rilassa con lo yoga potrebbe sembrare strana, tuttavia è il complemento ideale alle posture yoga più dinamiche. Se integrate la pratica yoga con il rilassamento, questo diventerà la componente essenziale che la completa. L'importante è che riusciate a rilassarvi insieme al neonato: il vostro rilassamento ha la stessa importanza del suo.

In ogni postura yoga si combinano e si contrastano allungamenti e rilassamenti. Ogni sequenza termina con il riposo e ogni sessione con un rilassamento più lungo, in genere nella posizione del cadavere. Rilassarsi stimola le sottili energie del nostro corpo e può essere strumento importante per arricchire il nostro modo di essere genitori. La capacità di rilassarsi è acquisita dal neonato in un momento in cui il suo sistema nervoso centrale ha la massima ricettività. Quanto più precocemente inizierete a rilassarvi con il vostro bambino dopo la sua nascita, tanto maggiori saranno i benefici che ne trarrete. Se il vostro bambino ha già più di sei mesi quando iniziate, seguite le indicazioni illustrate alle pagine 106-107 prima di leggere questo capitolo.

Al termine della routine quotidiana di yoga, in particolare se la abbinate a un po' di massaggio e al bagnetto, il neonato sarà probabilmente stanco e pronto, dopo una bella poppata, ad addormentarsi tranquillo. Con il rilassamento tuttavia si può ottenere ancora di più: esattamente come per un adulto, un profondo rilassamento altera le funzioni del bambino in maniera simile al sonno, ma in uno stato di vigilanza. Il battito cardiaco rallenterà e la respirazione sarà più regolare, e si avrà una variazione del flusso di energia. Noterete anche che un atteggiamento generale di maggior calma e serenità.

Se avete scelto di sviluppare la pratica yoga solo per il vostro bambino e non per voi, dovete considerare che il rilassamento profondo coinvolge necessariamente anche voi: l'uno influenza l'altro e ne condiziona il risultato comune e individuale. Il rilassamento con il vostro bambino è una pratica interattiva tra il vostro corpo e quello di vostro figlio.

Il processo di rilassamento

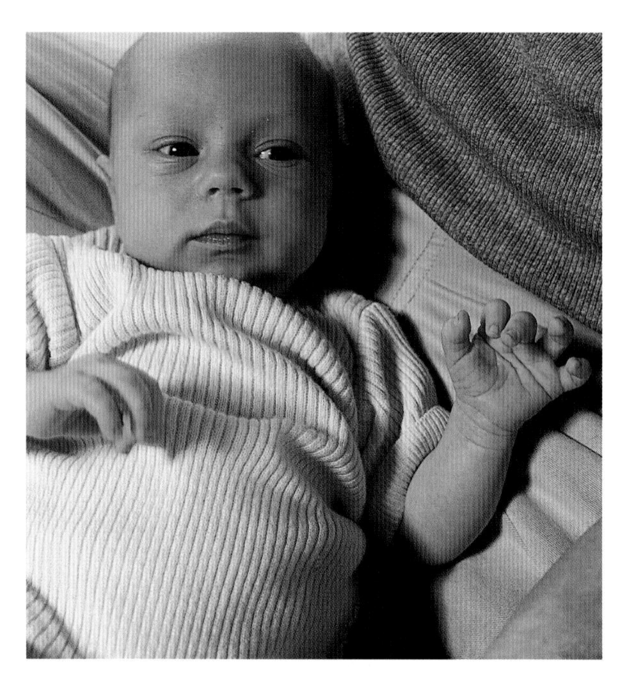

Se non avete mai provato il rilassamento profondo, è necessario che seguiate i primi passi con la massima fiducia fino a che sarete in grado di percepire fisicamente il processo del rilassamento. Vi accorgerete che coinvolge tutto il vostro essere, compresa la mente e le emozioni, in modo profondamente diverso dal semplice riposo o dal coccolare tranquillamente il vostro bambino. Se sapete già praticare il rilassamento yoga, potete applicare le tecniche che conoscete quando vi rilassate con il bambino.
Rilassarsi insieme al neonato è diverso dal farlo da soli, perché è necessario focalizzare l'attenzione sull'interazione tra di voi. Staccarsi dal mondo, dall'attività, significa anche smettere di «preoccuparsi» per lui. La sfida consiste nel distogliere l'attenzione dal bambino mentre lo si ha vicino e si è entrambi svegli. Facendo il paragone con una macchina, è come avere il motore acceso ma con la marcia in folle. Questo non significa che stiate sottraendo una parte di voi a vostro figlio, ma che il neonato è in grado di non condividere il vostro modello di energia, come ha fatto da quando era ancora nel vostro ventre. Vi sentirà libere dalle preoccupazioni superficiali e potrà godere del silenzio profondo e della pace che stanno sotto la corrente di stress che vi sorregge nell'attività quotidiana. A questo stadio di reciproco adattamento, in particolare se si tratta del primogenito, il rilassamento con il vostro bambino è una priorità per il benessere vostro, del bambino e di tutta la famiglia.

Cosa accade tra voi e il bambino

Considerate tutte le possibilità di rilassamento:

- Vi rilassate in modo che anche lui si rilassi. Questa è la ragione principale per cui i genitori fanno rilassamento insieme al loro bambino, ma ci vuole una certa esperienza e abilità prima che un bambino nervoso si calmi. Questo è il vostro obiettivo.
- Cominciate a rilassarvi, sentite che anche il bambino si rilassa, questo vi rilassa ancora di più, il bambino segue il vostro esempio, e così via.......Tra voi si verifica uno scambio che aiuta ad approfondire il processo di rilassamento come mutua esperienza.

Nel corso della giornata, iniziate a osservare, provare e sperimentare «il rilassamento insieme». Se riuscite a capire quando si verifica e quando no, scoprirete anche quali sono le condizioni migliori per ottenerlo.

Uso dei principi di auto-riferimento

La percezione del mondo nei neonati è dettata dall'esperienza. Ricordate il principio di auto-riferimento, (pagina 19): più siete coscienti del vostro «essere» interiore, più il bambino sarà sensibile e reattivo. Il neonato sente il vostro stato d'animo: esserne consapevoli vi farà forse cambiare la considerazione che avete per lui. Il suo comportamento è quindi frutto dell'interazione tra voi ed è un processo a due sensi.

Siete una «buona» mamma quanto le circostanze vi permettono di esserlo, ma non cercate di rilassarvi sempre con il bambino. In ogni caso, i neonati hanno bisogno di bilanciare stress e rilassamento con un ritmo che somiglia a quello del giorno e della notte, del sonno e la veglia. Perciò fate attenzione a cosa provate quando vi sentite frustrate a causa del bambino, ma al tempo stesso cercate di vivere in pieno le emozioni e di riconoscerle. Non c'è posto per sensi di colpa nel presente, bensì stimolo per un cambiamento.

- *Poiché il bambino è rilassato, potete rilassarvi anche voi.* Assumere un atteggiamento di umiltà riguardo all'interazione con il bambino, vi consentirà di imparare da lui a rilassarvi meglio. (vedi pag. 120)
- *Poiché voi e il neonato vi rilassate insieme, anche gli altri membri della famiglia possono rilassarsi.* Gli effetti del vostro mutuo rilassamento si estenderanno ben presto agli altri membri della famiglia.
- *Ora, quando vi rilassate, siete davvero capaci di calmare il bambino.* Questo è specialmente utile quando il neonato è agitato o non sta bene.

Se imparerete a usare in questo modo il rilassamento come strumento spirituale, potrete sviluppare altre dimensioni dello yoga ed espandere ulteriormente il vostro grado di autocoscienza.

«Per me, il rilassamento è stato uno dei lati più importanti dello yoga per neonati. Ho davvero imparato a rilassarmi e so di potermi "distaccare" da Maria, sapendo che è felice e sicura vicino a me. Sono davvero stupita di come abbia imparato a rispettare i miei spazi quando mi rilasso, facendolo a sua volta.»

Preparazione al rilassamento insieme

Il «rilassamento insieme», oltre a quello abituale che completa ogni sessione yoga, può essere una sequenza a sé stante che potete fare in ogni momento, unitamente ad altri esercizi o separatamente. I passi base richiederanno una diecina di minuti e una volta che avrete acquisito più familiarità, sarete capaci di raggiungere «la zona rilassamento» in modo veloce, lasciando così maggior tempo al rilassamento profondo.

Prima di iniziare
Eliminate tutto ciò che può ostacolare il rilassamento: sistemate dei cuscini di fianco a voi per non dovervi preoccupare della sicurezza, attaccate la segreteria telefonica e fate in modo di non venir disturbati. Con l'esperienza imparerete a fare quest'elenco mentale automaticamente e i giovamenti che trarrete dal rilassamento saranno tali che non vi nasconderete più dietro a finti problemi.

1 Esercizio rapido di auto-coscienza

Mentre vi preparate a rilassarvi, verificate rapidamente come vi sentite, sia in relazione al bambino che a voi stesse. Inizialmente, vi sentirete forse un po' confuse, specialmente se siete affaticate e stressate dalla maternità. Se questo è il vostro caso, prendete semplicemente atto del fatto che l'unica sensazione che provate è la spossatezza. In seguito, sarà più semplice identificare le diverse sfumature d'umore e i vari livelli di energia. Può essere difficile per le neo-mamme fare una distinzione tra quello che sentono per il neonato e per se stesse. Prendete atto anche di questo. Se vi sembra che la posizione della Montagna vi aiuti a concentrarvi, usatela per completare la vostra auto-coscienza rapida prima di mettervi in posizione di rilassamento.

2. Posizioni per il rilassamento insieme al bambino

Quando avrete più esperienza, riuscirete a rilassarvi con il vostro bambino in qualsiasi posizione. All'inizio però, è importante che vi mettiate più comode possibile.

Sdraiarsi

Anche se siete esperte nel rilassamento yoga, la posizione sdraiata sulla schiena può non essere la posizione ottimale per farlo insieme a un bambino piccolo. Con la parte bassa della schiena ben sostenuta, piegate le ginocchia e controllate di avere collo e testa in linea con la

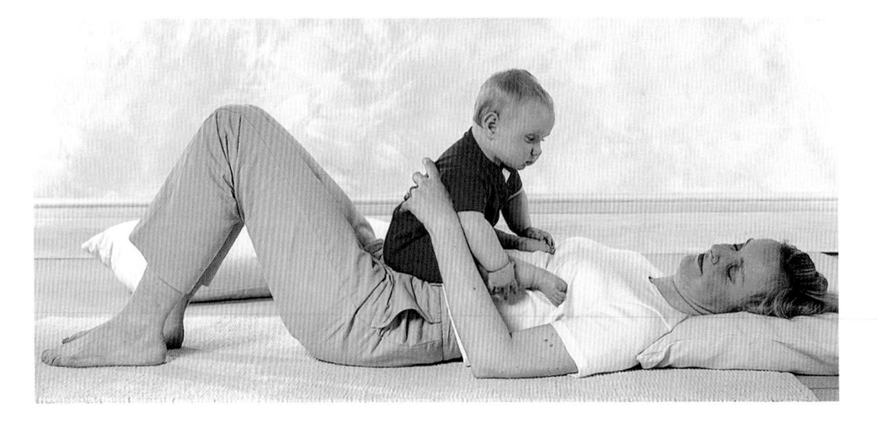

spina dorsale, di non avere la testa rovesciata all'indietro né piegata in avanti. Un'altra valida posizione per il rilassamento è stare sdraiati a terra, appoggiati a un grande cuscino, con la base della spina dorsale ben appoggiata e il corpo ad angolo di 20-30 gradi.
Fate sdraiare il bambino sul vostro petto, a pancia in giù o sulla schiena come preferite. I neonati molto piccoli spesso preferiscono stare sulla schiena o sul fianco. Preparatevi a cambiare posizione man mano che crescono. In alternativa, fate sdraiare il bambino vicino a voi e mantenete un certo contatto fisico che vi aiuterà a sentirvi uniti nel rilassamento.

Lasciatevi guidare dal bambino
Cercate di osservare come il bambino reagisce e se ha comportamenti ripetitivi quali:
- è irrequieto prima di trovare una posizione confortevole
- piange per ottenere cibo o attenzione
- spalanca le braccia
- fa dei gridolini o canta
- rallenta il battito cardiaco e ha la pelle calda

Seduti

Stare in posizione seduta per rilassarsi dopo l'allattamento è comodo se la parte inferiore della schiena è ben sostenuta e le ginocchia sono sullo stesso piano dei fianchi. Assicuratevi di poter appoggiare i piedi su un qualche sostegno, se ne sentite la necessità. Se siete sedute su uno sgabello basso, potete allungare le gambe su un cuscino. Se vi è stato praticato un taglio cesareo, appoggiate il neonato in grembo ma su un cuscino in modo da alleviare la pressione sul basso ventre.

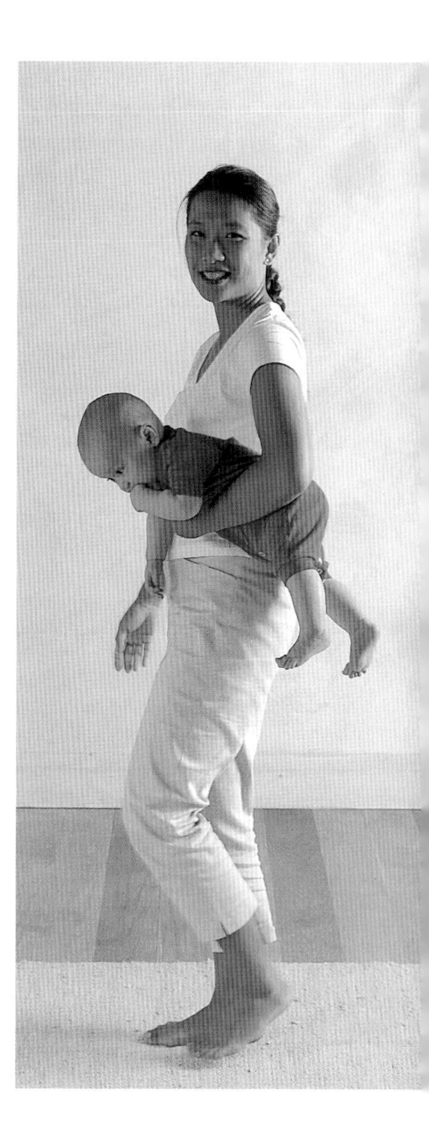

In piedi o camminando

Il rilassamento durante una passeggiata (vedi pagina 66) è un metodo che sfrutta il movimento e il ritmo e può includere tutti i punti descritti per il rilassamento da sdraiati.

3 Mostrare il rilassamento al neonato

Il neonato sarà ben presto in grado di capire quando state per rilassarvi insieme, specialmente se gli darete dei segnali ben precisi e in un ordine definito:
1 Sistematevi nella posizione prescelta, liberando collo e schiena. Lasciate morbida la mascella e sbadigliate se lo ritenete necessario.
2 Espirate profondamente due o tre volte, lasciando che i polmoni si riempiano bene piuttosto di respirare forzatamente fra un respiro e l'altro. Se lo desiderate, emettete qualche suono durante l'espirazione (magari uno sbadiglio o un sospiro).
3 Allentate la stretta sul vostro bambino. Non dovete tenerlo (ad eccezione del rilassamento durante la passeggiata) ma accarezzatelo sulla testa o sul corpo e dondolatelo dolcemente da una parte all'altra.
4 Seguite il vostro ritmo di respirazione e controllate quello del vostro bambino. Se ne siete capaci, cantate o mormorate qualche nota che vi piace.
5 Se riuscite, visualizzate qualche immagine di un bel momento con il vostro bambino. Concentratevi e cercate di aprire uno spazio di felicità in cui rilassarvi insieme liberamente e in armonia.

Creare un'area di rilassamento comune

Ora siete pronte a rilassarvi con il vostro bambino, ma c'è ancora una soglia da varcare prima di raggiungere il rilassamento profondo. Condividere questo spazio con il bambino può essere un'esperienza difficile e dovrete fare attenzione a non sbagliare fin dall'inizio. Quel che conta è l'esperienza. Servitevi dei consigli illustrati in queste pagine come di una guida pratica prima di iniziare e rileggeteli quando il bambino comincerà a crescere per arricchire la vostra esperienza.

Identità

L'arrivo del nuovo bambino modifica tutti i rapporti esistenti: può darsi che vi attacchiate tanto al bambino da non volervene mai staccare o che veniate assalite dal dubbio che la vostra vita non tornerà più a essere «normale». Molti genitori provano queste sensazioni e a volte sentono minacciata la propria identità. Mentre cominciate a rilassarvi e a concentrarvi su voi stesse, riuscirete anche ad avvertire quanto la vostra identità e quella del bambino siano vicine e al tempo stesse separate.

Lasciarsi andare a poco a poco

1 Identità
Questo sei tu, il mio bambino e questa sono io.
Sento la nostra vicinanza e il nostro essere separati

2 Fiducia
Tu stai bene, io sto bene
In questo momento vogliamo solo esistere, senza desideri o necessità di nessun genere

3 Osare lasciarsi andare
Posso tranquillamente evitare di preoccuparmi per te
Ho piena coscienza della differenza tra preoccuparmi e prendermi cura di te

4 Liberarsi dallo stress
Che influenza ha il tuo pianto sul mio corpo?
Sono cosciente della tensione che accumulo quotidianamente prendendomi cura di te e so che posso liberarmene

5 Abbandonarsi
Lascio andare la tensione e mi sento rilassata
Sono capace di abbandonare la tensione e di accettare il presente

6 Auto-alimentarsi
Sento l'infinita ricchezza della forza universale che ci circonda. Ne traggo nutrimento per me stessa e per il legame che ci unisce

7 Amore incondizionato
Ho coscienza dell'unicità del rapporto che ci unisce
Amarti incondizionatamente mi dà grande gioia

Per focalizzare l'attenzione sul rapporto con vostro figlio

- Premete bene al suolo i piedi e piegate un poco le ginocchia. Tenete il bambino per la mano e prendete coscienza dei vostri due corpi.
- Riconoscete e accettate ogni emozione negativa che vi agita e, per ognuna, trovate un corrispettivo positivo.
- Chiudete gli occhi e provate come vi sentite con il vostro bambino. Aprite gli occhi, guardate come siete adesso e richiudete ancora gli occhi, cercando di percepire il vostro essere insieme. Ricordate le sensazioni che provavate quando il bambino era dentro di voi e sentite la differenza ora che il bambino è fuori di voi.
- Focalizzatevi sul primo e secondo chakra, nel vostro perineo e ombelico e fate una respirazione profonda sentendo le vostre radici.

«Penso che il rilassamento insieme serva al mio bambino che altrimenti sarebbe sempre in movimento. Lo aiuta a capire che non sempre ci si può occupare di lui, e mi piace stare seduta tranquilla con lui, sentendomi calma e in pace. Tutti si accorgono che il suo atteggiamento è migliorato.»

Fiducia

Lo yoga con il vostro bambino è una celebrazione di fiducia che si estende anche ad altre aree della vostra vita in comune. Se vi sentite oppresse dal peso delle vostre nuove responsabilità, dovete focalizzarvi su voi stesse, sul bambino e sull'aiuto di cui avete bisogno per rilassarvi insieme. Fiducia non vuol dire solo avere la certezza di fare la cosa giusta per il bambino, la famiglia e voi stesse, ma anche riconoscere che siete parte dell'orchestrazione cosmica. Cercate almeno di avere un atteggiamento positivo nei confronti della vita.

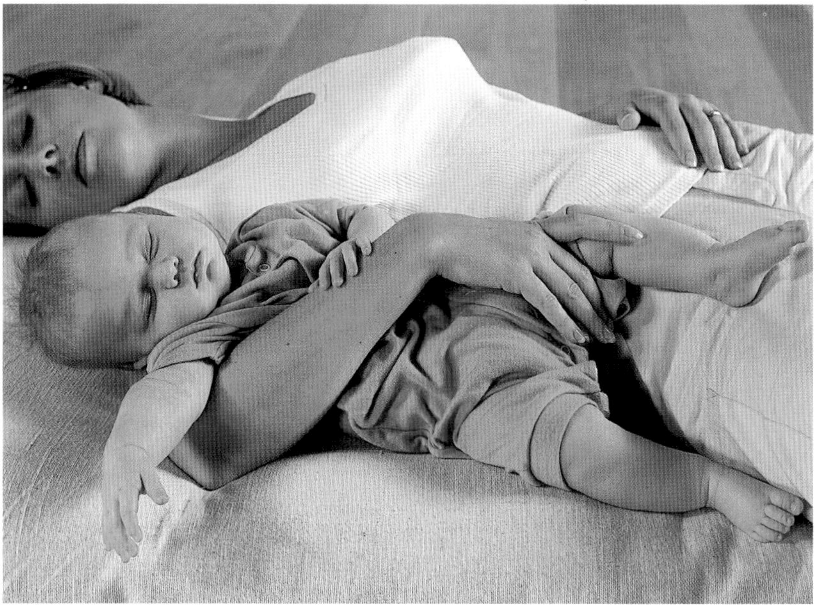

Abbandonarsi

Ora state entrando nello «spazio di rilassamento». Se mentre vi lasciate andare il bambino comincia a piangere, interrompete e consolatelo: potete ritentare più tardi quando sarà tranquillo. Imparerà presto a riconoscere i vostri comportamenti e, dopo aver condiviso un'esperienza piacevole, sarà felice quando ne riconoscerà i preliminari. Se continua a piangere ogni volta che iniziate il rilassamento, ha forse subito un'esperienza traumatica di cui non vi siete accorta. A pagina 120 trovate alcuni suggerimenti che vi aiuteranno a fargli accettare il rilassamento insieme. All'inizio è difficile staccare il pensiero dal bambino perché è in contrasto con il vostro normale stato di attenzione: volete essere certe di poterlo fare senza danneggiare in alcun modo il bambino e pensate che l'unico modo sia addormentandovi. Non potrete saperlo se non provando e forse dovrete fare qualche tentativo prima di riuscire e ci vorrà comunque tempo prima di imparare.

Liberarsi dallo stress

- Chiudete gli occhi. Sentiteli rilassarsi nelle orbite e prestate attenzione alle palpebre. Seguite i nervi ottici fin nell'interno del vostro cervello. Appoggiate bene la testa sul cuscino e rilassate ancora di più il collo. A occhi chiusi, sentite il bambino, sia che l'abbiate fra le vostre braccia o no. Dopo poco tempo, vi accorgerete che la vostra percezione si arricchisce: secondo lo yoga, state imparando a vedere con il vostro «occhio interno».
- Cercate di scindere l'udito che vi fa essere attente ai suoni che vi circondano dall'udito come pura attività cosciente. Come fa il cane che dorme ma che è tuttavia attento ai rumori intorno a lui, dovete mantenere uno stato di attenzione superficiale ai suoni esterni ma allo stesso tempo concentrarvi su un «udito interno» che è parte della vostra conoscenza interiore.
- Prendete coscienza della vostra respirazione, senza cercare in alcun modo di alterarla: semplicemente ascoltate il ritmo del vostro respiro, vicino al vostro bambino. Ascoltando il vostro respiro diventate per così dire il testimone di voi stesse. Uscite dallo stato di attività e osservate voi stesse nell'atto di «essere» senza coinvolgere in alcun modo la mente. All'inizio, pensieri ed emozioni potranno disturbare quest'esperienza, ma se provate ancora ad «ascoltare» quietamente il vostro respiro, specie quando il bambino è tranquillo, diventerà sempre più facile. È possibile che riusciate a calmarvi in un batter d'occhi anche se un secondo prima eravate con un nervo per capello.
- Ora potete iniziare il rilassamento più profondo. Ce l'avete fatta, vi siete «sganciate» dai problemi e non avete perso il contatto con il bambino. Al contrario, ritraendo tutti i sensi e focalizzandovi sulla respirazione, vi sentirete più vicine a lui, senza la barriera del flusso costante dei vostri pensieri.

A questo punto, avete raggiunto un rilassamento comune e potete prendere coscienza anche della respirazione del bambino: probabilmente il ritmo dei vostri respiri si è sincronizzato.

Arrendersi

È ora possibile «arrendersi» al presente. Come avete preso coscienza del vostro respiro, potete ora osservarvi mentre vi rilassate con il vostro bambino. Sarà più facile se siete stanche e vi farà bene se riuscirete ad addormentarvi entrambi. Infatti, questo è un modo per recuperare un po' di sonno se vi siete svegliate durante la notte. Ma se siete troppo stanche o agitate da una forte emozione, arrendersi diventa il passo più difficile: non preoccupatevi se vi capita. Prendete atto che non riuscite a sentire come una benedizione il momento che state attraversando ma, al tempo stesso, apritevi a ricevere aiuto o suggerimenti. Abbandonatevi alla speranza, se non la fede, di riuscire a trovare l'aiuto di cui avete bisogno.

Nello «spazio» del rilassamento, lasciarvi andare in questo modo vi rende più ricettive all'intreccio dinamico di amore e buona volontà che circonda voi e il vostro bambino. Anche un breve contatto con questo «spazio» vi fa sentire che, aldilà di ogni emozione e anche attraverso il dolore, c'è un'armonia che potete raggiungere. Il rilassamento vi rende consapevoli di rancori nascosti, che hanno una ragione specifica o che non sono diretti verso nessuno: prendere atto delle vostre emozioni, senza cercare di giudicarvi, vi aiuterà a trovare le giuste soluzioni.

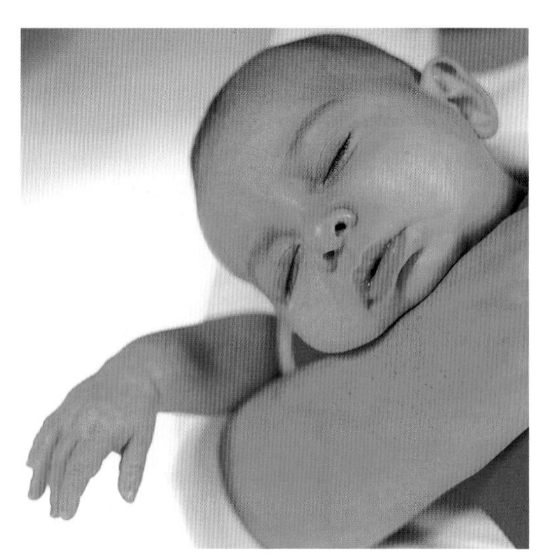

Auto-alimentarsi

Attraverso la vostra resa incondizionata lasciate fluire liberamente la forza vitale universale (prana) che vi investirà come un'onda di piena insieme al vostro bambino e potrete immediatamente usufruirne. Tutto ciò che dovete fare è «sentire». Questa sensazione è paragonabile al mettere in carica una batteria. Solo provandola riuscirete a capire in cosa consiste e a goderne i benefici: vi sentirete di colpo più riposata di quanto non lo siate mai stata dalla nascita del bambino. Può darsi che avvertiate un certo formicolio alle mani e sentiate che i muscoli facciali si rilassano ulteriormente. Quel che più importa è che vi sentite nutrite fisicamente, emozionalmente e spiritualmente in risposta alle vostre immediate necessità.

Ogni volta che vi rilassate, potete attingere a piene mani a questo nutrimento, e imparare a generarne anche per il vostro bambino. Nella tradizione classica indiana c'è un detto: «Impara a diventare madre e padre di te stesso». Allo stesso modo in cui dovete liberarvi delle tensioni quotidiane, dovete anche rimpiazzare il nutrimento che date al vostro bambino, e costituire delle riserve per le necessità future.

Allargare il concetto di auto-alimentazione agli altri

L'auto-alimentazione può, con il vostro aiuto, essere estesa al bambino. Per la madre, è come nutrire il bambino attraverso un

Rilassamento e depressione postnatale

Se soffrite di depressione postnatale, il rilassamento insieme al bambino fatto come sequenza yoga, vi aiuterà a trovare il profondo riposo di cui avete bisogno, mantenendo un coinvolgimento attivo con il neonato.

- Raccontare filastrocche, canzoncine o contare le dita dei piedi e delle mani, può aiutarvi, attraverso il suono e il tatto, a impegnarvi di più fisicamente quando cercate di rilassarvi con il bambino.
- Trovate almeno due buone ragioni per sentirvi bene in questo momento. La seconda sarà più difficile da trovare ma, se insistete, la potete sempre identificare.
- Una goccia di olio per aromaterapia (alla salvia, incenso o meglio ancora alla rosa)messa su un fazzolettino che terrete vicino al naso mentre iniziate a rilassarvi, avrà un effetto rassicurante.
- Prendete coscienza del vostro terzo chakra, nella zona del plesso solare. Portate il respiro in questa zona che è associata con la fiducia e l'autostima.
- Cercate di usare il senso di amore incondizionato per il vostro bambino che si sprigiona durante il rilassamento per nutrire anche il bambino che è nascosto dentro di voi e che forse ha ancora bisogno di questo amore. Orientate tranquillamente l'amore incondizionato anche a voi stesse per il bisogno che ne avete in quanto neo-mamma.

invisibile cordone ombelicale, mentre per il padre è come condividere lo stesso campo di energia con il bambino.
Se avete esperienza di visualizzazione, usate qualsiasi immagine vi venga in mente. Probabilmente il vostro bambino ne sarà influenzato: se è sveglio, diventerà più tranquillo, stando sdraiato o giocando in pace. Se dorme, si rilasserà ancora di più.
Quando avrete una buona esperienza di auto-alimentazione, potrete estenderla a chi vi è più vicino: il vostro partner, altri figli, i vostri genitori… Con il rilassamento è possibile convogliare parte di questo «nutrimento» verso di loro, di condividerlo senza per questo esaurirvi come avverrebbe in fase di attività. Fino a quando non avrete una certa esperienza, il momento giusto per estendere questa sensazione è quando l'immagine di qualcuno che vi è caro si presenta alla vostra mente mentre vi rilassate.

Amore incondizionato

Più imparate ad auto-alimentare il bambino e voi stesse nel rilassamento insieme, più è facile provare quel sentimento di amore incondizionato che vi lega in modo reale e fisico.
Il rilassamento vi aiuta ad avere accesso agli strati più profondi del sentimento, che stanno sotto le emozioni e gli stati fisici quotidiani. Quando raggiungete il rilassamento profondo, è più facile ricordare che amate il vostro bambino e che «sentite» davvero quest'amore. Nonostante la stanchezza o la depressione postnatale, troverete questa corrente sotterranea di amore cui potrete sempre ricorrere nel futuro.

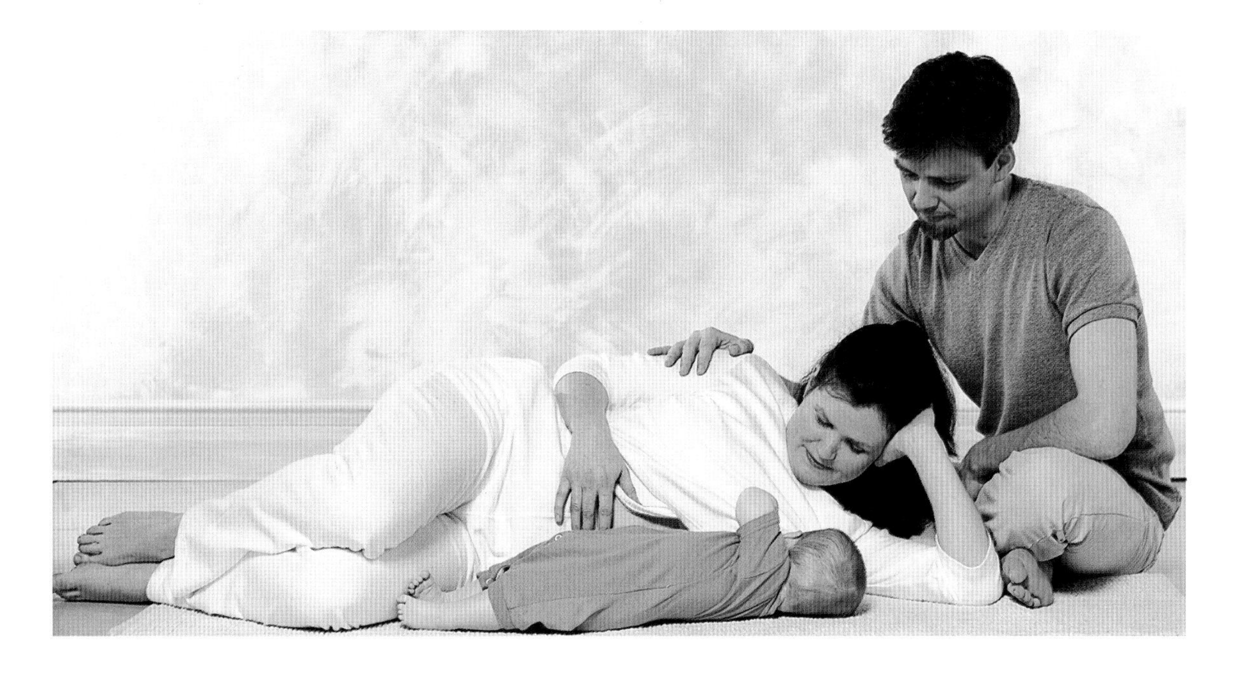

Mutuare il rilassamento dal vostro bambino

Il rilassamento fin qui descritto, focalizzato su di voi, vi esortava a includere il vostro bambino nel processo portato avanti, . Ma potete anche imparare a rilassarvi «dal» bambino sviluppando metodi di mutuo rilassamento, in modo che dopo che il neonato ha iniziato questo processo, voi possiate distendervi completamente e quindi, attraverso il contatto fisico, aiutare a farlo anche lui ancora di più.

Percepire il rilassamento del corpo del neonato

Quando il bambino si addormenta fra le vostre braccia, è possibile sentire la differenza tra il sonno superficiale e il sonno profondo. Qualche volta avrete notato un completo rilassamento anche quando è sveglio, per esempio quando mangia, o galleggia nell'acqua, oppure dopo un massaggio o una sequenza yoga. Fate grande attenzione ogni volta che questo succede e cercate di ricordarvelo, notando i segnali che il bambino trasmette quando sta per rilassarsi.

Imparare dal vostro bambino...

Oltre a osservarlo, provate a imitarlo ripetendo i segnali che vi sta dando. Ogni volta che siete con il bambino mentre mangia o si riposa, cercate di mettervi il più possibile comode, allentando le tensioni del vostro corpo.

Confrontate le reazioni fisiche con quelle che si verificano quando il bambino esprime disagio e osservate in che modo vi influenzano fisicamente e come reagite. Quando lo tenete fra le braccia e si agita, provate a osservare la vostra risposta fisica e le vostre reazioni al suo stato. Annotatevi mentalmente dove e come tendete ad accumulare tensione e fate anche un elenco scritto per avere un'immagine il più possibile precisa.

...quello che il bambino impara da voi

Fin dalla nascita il bambino vi ha osservato con attenzione e ha imparato i segnali che gli trasmettete quando siete tese o rilassate. Ben presto è impossibile scindere le sue reazioni ai vostri comportamenti o viceversa, anche se potete avere l'illusione che il suo atteggiamento non sia influenzato dal vostro. Il neonato ha inclinazioni e carattere personali, ma il modo in cui questi si sviluppano ha molto a che fare con l'interazione di chi gli è più vicino. Come nello yoga più ci si allunga e più ci si rilassa, nell'interagire con il

neonato più si segna il confine tra tensione e rilassamento, meglio s'impara ad ottenere un rilassamento reciproco con lui.

Rilassamento reciproco

Quando sentite che il bambino si rilassa, ad esempio durante l'allattamento o mentre fa yoga, cercate di adeguare la vostra risposta fisica, rilassandovi anche voi. Quando il bambino è contento e sorride, siete portate a sorridere anche voi. Osservate il suo linguaggio corporeo e imitatelo: allentate la tensione delle spalle, aprite le mani e scuotetele un poco, sbadigliate, aggrottate i sopraccigli e rilasciateli, rilassate il collo. Rilassatevi nel modo che preferite cercando di sentirvi più comode possibile e osservate le reazioni del bambino a quello che fate. Dopo qualche volta, usate una mimica ancora più teatrale, imitando i suoi modi di rilassamento in maniera esagerata, in modo da farlo diventare un gioco. (Potete giocare in questo modo durante le sequenze yoga favorite dal vostro bambino, imitandolo e scimmiottando a modo vostro il suo modo di divertirsi).

Ninne nanne

Potete accompagnare i vostri movimenti con una canzoncina che il bambino imparerà a riconoscere: sceglietene una qualsiasi che già conoscete o inventatene una tutta vostra. In tutto il mondo si cantano ninne nanne: riscoprire quest'arte antica è un modo bellissimo di rilassarvi insieme al vostro bambino, poiché anche voi subirete il fascino delle ninne nanne.

Per calmare il bambino

Le tecniche comportamentali descritte sono utili anche per calmare il neonato quando sembra in una situazione di disagio. Provate a mimare tutti i segnali di rilassamento che avete colto durante le vostre interazioni: poiché fanno ormai parte di voi, probabilmente il bambino, che come tutti i neonati è un perfetto imitatore, ne sarà influenzato e reagirà. Infatti:

- il vostro atteggiamento abituale nei confronti dei segnali di sconforto da parte del neonato, specialmente se seguite un modello codificato, è in genere ben diverso;
- lo schema comportamentale che state proponendo verrà subito riconosciuto, perché è frutto della vostra interazione;
- è bene distinguere fra disagio reale e una situazione di semplice bisogno di avervi vicine o di noia.

Con l'esperienza potrete effettuare questo scambio in qualsiasi posizione di rilassamento preferiate, cercando di raggiungere, attraverso i suggerimenti del vostro bambino, un rilassamento interiore più profondo.

Rilassamento istantaneo con il vostro bambino

Con l'esperienza, vi distenderete dove e quando lo desiderate. Questo vale sia per il rilassamento yoga profondo che per quello ispirato modificato osservando il vostro bambino. Ma, non scoraggiatevi se all'inizio incontrerete delle difficoltà: non sempre funziona, ma se riuscirete ad allentare la tensione fra di voi e a ristabilire un clima di tranquillità, sarà di grande efficacia per entrambi.

Scegliete uno o più metodi tra quelli di seguito oppure createne uno tutto vostro.

In qualsiasi posizione

1 Espirate a fondo per due o tre volte, mantenendo la respirazione addominale.
2 Lasciatevi andare
3 Sentite il vostro cuore
4 Ricaricatevi alla sorgente infinita di amore incondizionato in modo che il vostro corpo a contatto del bambino diventi un «trasmettitore».

Se siete sedute o in piedi

1 Rilassate le spalle
2 Piegate leggermente le ginocchia mantenendo la schiena diritta
3 Espirate a fondo e lasciate andare tutta la muscolatura dorsale

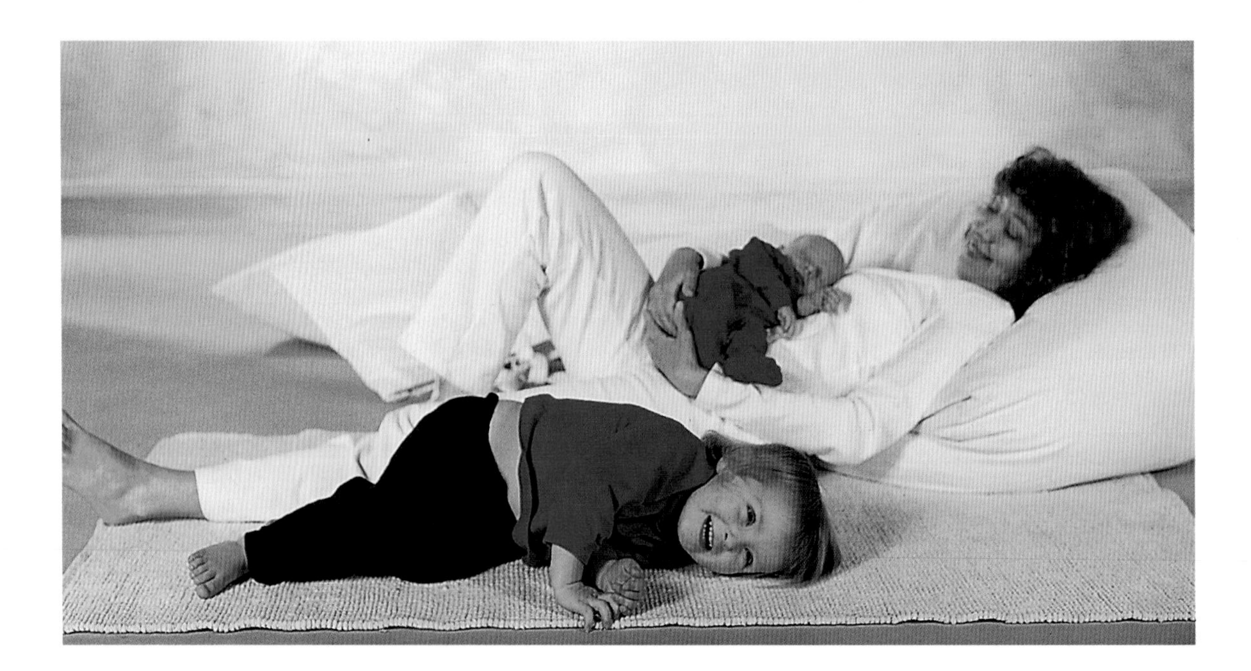

Creare un «campo di rilassamento»

Se volete svolgere un'attività che non coinvolge il bambino e preferite non far uso del box o del seggiolone, troverete utili questi suggerimenti. Le posture yoga e il rilassamento effettuato insieme al bambino vi hanno dimostrato quanto il suo benessere dipenda dal vostro interagire. Questa consapevolezza vi aiuterà a creare un «campo di rilassamento» che circonda voi e il bambino mentre siete nello stesso ambiente. Può essere un modo utile per riposare con un bambino particolarmente vivace o quando richiede un'attenzione speciale, ad esempio se non sta bene.
Creare un «campo di rilassamento» è utile, oltre che in situazioni particolari, anche per allargare la spirale di gioia con il neonato nella vita quotidiana. Superato lo scetticismo iniziale, dopo due o tre settimane di pratica, noterete nel bambino una maggiore calma e anche la famiglia e gli amici ne beneficeranno.

- Sedetevi comodamente con il bambino sistemato nella stessa stanza ma non a stretto contatto fisico e seguite le istruzioni per il rilassamento profondo spiegate in questo capitolo. Scegliete un momento in cui siete soli e il bambino non sta piangendo.

- Accertatevi che non ci siano pericoli, specialmente se è già capace di rotolarsi o di gattonare. Se vi sentite in ansia, chiedete a qualcuno di sorvegliare il bambino da una certa distanza, senza interferire, stando ad esempio nella stanza vicina, con la porta aperta.

- Mentre iniziate a rilassarvi, prendete coscienza della vostra riluttanza a chiudere gli occhi e a smettere di preoccuparvi, lasciando il bambino a sé. Convincetevi che state prendendovi cura di lui in maniera diversa e lasciatevi andare, rilassandovi profondamente a occhi chiusi.

- Trovate la corrente profonda che vi unisce nello spazio del rilassamento. All'inizio sarà difficile, ma perseverate finché avvertirete un «campo», come qualcosa di magnetico che vi circonda entrambi. Se può aiutarvi, visualizzate una sfera o un cerchio che vi racchiude.

- Invece di focalizzarvi sul cordone invisibile che vi unisce, pensate che voi e il bambino siete ora insieme in un campo di rilassamento. Più questo sarà profondo, maggiore sarà l'effetto sul bambino. Starà tranquillo e soddisfatto di qualsiasi cosa stia facendo al momento e vi meraviglierete nel sentirvi così libere e vicine a lui.

- Più il bambino è grande quando iniziate questo rilassamento, maggiore sarà la sua resistenza iniziale: reclamerà la vostra attenzione superficiale come è solito fare. Se si agita, prendetelo in braccio e rassicuratelo del vostro amore. Riconoscete anche la vostra resistenza a lasciarlo a sé. Trovare uno spazio autonomo di pace all'interno del «campo di rilassamento» può essere liberatorio per entrambi.

- Se il vostro bambino è già grandicello, vi accorgerete che queste sono tutte opportunità per creare dei «campi di rilassamento» che vi uniscono. Sarete consapevoli di un dialogo silenzioso che fluisce fra voi durante la giornata.

6 Affrontare i problemi
Lo yoga per la salute e la gioia

Lo yoga non costituisce la soluzione a ogni problema, ma può aiutare a ottenere notevoli miglioramenti. È infatti il mezzo pratico che vi consente di ripristinare l'armonia fisica e spirituale tra voi e il vostro bambino, che può essere compromessa se il delicato equilibrio della convivenza è stato in qualche modo danneggiato.

Gli esperti infantili spesso ruotano intorno ai problemi: i neonati sono etichettati come insonni, irrequieti, soggetti a coliche e il consiglio tradizionale è che, dovete adattarvi a questi aspetti dell'essere genitori. Il punto di vista di questo libro è radicalmente differente. Secondo i principi Ayurverdici che sono alla base dello yoga, è preferibile considerare la vita del bambino dal punto di vista olistico invece di focalizzarsi sulle disfunzioni. Viene data la priorità alla prevenzione e al precoce riconoscimento di quei sintomi che preludono a una situazione critica. L'Ayurvedica pone l'accento sul nutrimento spirituale e sulle basi ottimali che permettono a genitori e neonati di condividere salute e gioia. E, se c'è una crisi, indica gli interventi specifici per alleviare la situazione.
Nella nostra civiltà sedentaria, lo yoga dà ai neonati uno stimolo che li aiuta nella digestione e facilita il sonno. Ma non è solo uno stimolo fisico: l'interazione piacevole che si crea tra voi e il bambino è forse il lato più importante. Tutti gli aspetti della vita del bambino sono correlati e il miglioramento di un problema faciliterà la soluzione degli altri, dando sollievo anche ai genitori. Se ci sono problemi con il neonato, tutta la famiglia ne risente ma non per questo dovete sentirvi in colpa. Lo psicologo Donald Winnicott ritiene che un «buon» genitore deve saper riconoscere che errori e problemi sono inevitabili quando ci occupiamo dei nostri figli e che non esiste la perfezione. Anche il genitore più esperto deve continuare a imparare con ogni nuovo figlio. Con lo yoga, genitori e bambini entrano in una dimensione che permette loro nuovi metodi di esplorazione comune per quel che riguarda la mente e il corpo, senza pregiudizi e con il minor numero di preconcetti possibile.

Il pianto

Il pianto del neonato è diverso a seconda che voglia esprimere dolore o disagio fisico, o uno stato emotivo di insoddisfazione e angoscia. È una vera e propria forma di comunicazione e il timbro, la frequenza e l'intensità sono determinanti per capire il suo stato di salute. Imparando a conoscere il vostro bambino, saprete decifrare i segnali che vi manda e rispondere con più efficacia alla sua richiesta di aiuto. Fare yoga insieme migliora il vostro sistema di comunicazione e vi aiuta a mantenere la calma necessaria per capire di cosa ha bisogno.

Anche se il suo pianto vi mette a dura prova, continuate a parlare con il bambino: esprimere le emozioni, positive ma anche negative, è senza dubbio la soluzione migliore, poiché il bambino le percepisce comunque. Più onesta sarete con voi stesse e con il bambino, migliore sarà la vostra comunicazione.

I diversi tipi di pianto e il loro significato

Mentre imparate a riconoscere le differenze tra i diversi tipi di pianto, vi accorgerete che ognuno di essi è associato a un particolare tipo di linguaggio corporeo, specialmente delle mani. Le necessità che il bambino vuole esprimere potrebbero essere più d'una.

- Pianto forte e intenso: dolore (come quando gli viene fatto un prelievo di sangue)
- Pianto impaziente: fame (come quando si sveglia dopo aver dormito a lungo)
- Pianto associato a movimenti di tutto il corpo: stanchezza e sovreccitazione
- Pianto mutevole, che si arresta e ricomincia di nuovo: noia, bisogno non specifico
- Pianto acuto e forte, che diventa ancora più acuto e con ritmo veloce; movimenti espressivi delle mani che si aprono e chiudono a pugno; può degenerare in crisi di rabbia e il bambino ha lacrime: angoscia
- Pianto alternato acuto e più sommesso; il bambino sembra perdere il fiato, ha un ritmo sincopato, i pugni chiusi e scalcia; il contatto visivo non è possibile: rabbia

Se il bambino è agitato e il contatto visivo non è possibile, concentratevi sul controllo della respirazione (pagina 17) prima di passare allo yoga.

Lo yoga per controllare il pianto

Se il pianto del bambino non è dettato dalla fame (che è poi la causa di pianto più comune), cercate di trovare una soluzione con i movimenti yoga associati alla vostra voce. Se nell'arco di un paio di minuti non c'è cambiamento, provate a dargli da mangiare.

- Dolore: tenerlo con una presa rilassata, cullarlo, fare dei leggeri movimenti ad altalena, rilassarsi insieme, rilassarsi camminando. Per problemi digestivi vedi pagina 130.
- Stanchezza e sovreccitazione: cullarlo, tenerlo in maniera rilassata a pancia in giù, rilassarsi camminando, rilassarsi insieme.
- Noia e bisogno non specifico: per prima cosa una qualsiasi sequenza yoga adatta all'età del vostro bimbo e poi dargli da mangiare. Le posizioni in piedi sono le più efficaci: cadute, dondolii, lanci e voli.
- Angoscia: per prima cosa tenerlo con presa rilassata, a pancia in giù se il bambino ha meno di sei mesi. Piccoli voli e cadute rassicurano il bambino attraverso il contatto con voi. I voli servono a distrarre la sua attenzione.
- Rabbia: tenerlo con una presa rilassata e rilassarsi camminando. Tenete il bambino a pancia in giù e staccato da voi, impegnandolo al ritmo della vostra camminata. Fermatevi ogni tanto e cullatelo, rilassandovi anche voi. Se smette di piangere, cercate di stabilire contatto visivo, fatelo dondolare dolcemente e parlategli in modo rassicurante.

Pianto persistente

Anche un bambino sano a volte piange in maniera inconsolabile, per nessuna ragione apparente. È facile dimenticare il suo bisogno di nutrimento spirituale attraverso il contatto con voi. Ma voi per prime avete bisogno di sentirvi nutrite spiritualmente, per poter essere d'aiuto. Lo yoga è un modo efficace di trovare all'interno di voi il nutrimento di cui avete bisogno.

Se riuscite a comunicare al bambino un senso di sicurezza fisica, probabilmente verrà a mancare la causa del suo pianto persistente. Per incrementare la forte capacità naturale di guarigione del bambino, avete bisogno di essere riposata e rilassata in modo da sentirvi ricettive e fiduciose in voi stesse, nel bambino e nel processo. In pratica, questo significa:

- Ogni volta che il neonato si addormenta dopo aver pianto ed essersi agitato a lungo, riposatevi per un po', anche se avete molto da fare. Se avete altri figli, leggete loro una fiaba o guardate in pace un film.
- Ogni giorno, rilassatevi insieme, facendo partecipare anche gli altri figli: si creerà un ritmo rassicurante, specie se il bambino piange molto spesso.
- Mantenete il flusso di comunicazione e di amore tra voi: è quello che il bambino probabilmente cerca di ottenere. Se possibile, adottate la posa della montagna e concentratevi respirando.
- Se state diventando aggressivi (cosa comune ai genitori), prendetene atto. Fate due o tre espirazioni profonde e scuotete mani e piedi.
- Appena il neonato smette di piangere, rassicuratelo. Se lo vedete singhiozzare, cercate di stabilire il controllo visuale ed espirate, parlandogli continuamente. Se qualche volta singhiozza un pochino, espirate con lui. Se il neonato si sta addormentando, continuerà a sentirvi mentre gli parlate: auguratégli un buon sonno ristoratore, dicendogli che tutto va bene e che lo amate.

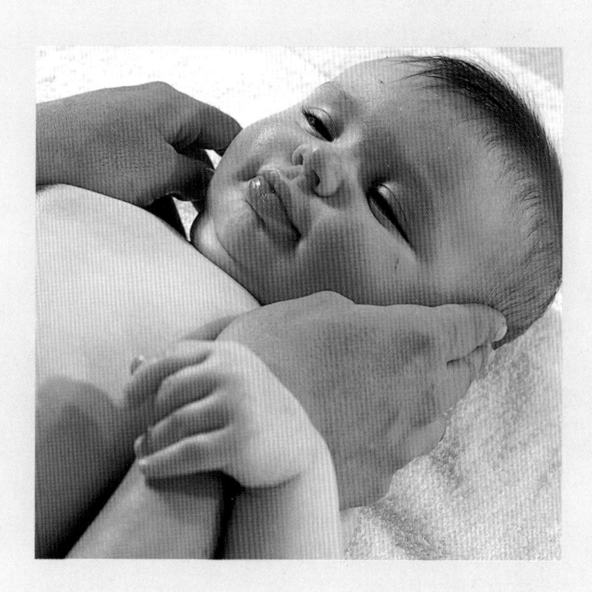

Se il sonno è un problema

Fin dalla nascita, ci sono molti modi in cui potete influenzare lo schema veglia-sonno del vostro bambino in modo da consentire all'intera famiglia il necessario riposo. Lo yoga, anche se non è il rimedio immediato per garantire il sonno per l'intera notte, può aiutare a far sì che i problemi che possono presentarsi, non sfuggano di mano.

Ogni neonato ha necessità diverse per quanto concerne la quantità di sonno che gli è necessaria e nell'arco del primo anno ci saranno cambiamenti considerevoli. Tuttavia, può succedere che il bambino non dorma abbastanza, o non abbastanza bene. Lo stimolo esercitato dallo yoga è in genere sufficiente a favorire un buon sonno e conferisce inoltre un senso di fiducia e sicurezza che invoglieranno il bambino a considerare il riposo come un momento di piacere, cui non desidera fare resistenza.

Respirazione a narice alternata
Questo esercizio agisce come un sedativo naturale. Tenete il dito indice e medio sulla fronte, il pollice sulla narice destra e le altre dita su quella sinistra senza premere. Inspirate profondamente dalla narice sinistra; poi, premendo la sinistra e sollevando il pollice, espirate attraverso la narice destra. Fate il contrario, inspirando attraverso la narice destra ed espirando da quella sinistra. Ripetete per sei volte e poi respirate normalmente.

Adattamento reciproco

Talvolta può essere difficile riaddormentarsi dopo che il bambino vi ha svegliato durante la notte e dovete adattarvi ai ritmi di sonno di vostro figlio. Ma c'è una differenza tra l'essere flessibili, accettando i diversi ritmi legati alla sua crescita, e lasciare invece che il bambino dorma a suo piacimento senza tentare di stabilire una routine di reciproca soddisfazione.

Durante i primi quattro mesi di vita, si stabiliscono routine che indicano al vostro bambino quando è il momento di dormire: attraverso lo yoga, il bambino sarà influenzato più dai segnali fisici che gli trasmettete all'inizio della sessione di esercizio piuttosto che dall'ambiente famigliare che lo circonda. Una volta imparati, segnali come la presa rilassata, la respirazione controllata o il rilassamento istantaneo, saranno sufficienti a far capire al bambino che è ora di dormire. La sua memoria fisica dello yoga sarà più efficace di ogni altra routine di condizionamento che possiate sviluppare.

Anche se il bambino dorme di solito tranquillo per tutta la notte, ci saranno periodi, come quello della dentizione, in cui si sveglierà ripetutamente. Per aiutarvi a riaddormentarvi, provate la tecnica di respirazione a narice alternata (vedi riquadro in alto a destra), per due o tre minuti e seguite le indicazioni per il rilassamento in comune.

Come favorire il sonno del bambino

Basteranno pochi giorni di pratica yoga per notare che dopo la routine quotidiana, il bambino dorme un po' più a lungo del solito.

- Combinate allo yoga il massaggio e un bagno serale per favorire il sonno nella prima parte della notte.

- La sequenza per le anche, seguita da torsioni e piegamenti è di particolare aiuto per il riposo.

- Mantenere dei ritmi ben definiti è importante per la percezione del ciclo del giorno. Più marcato sarà il contrasto tra attività e riposo, meglio definito sarà lo schema del sonno del neonato.

- Quando i ritmi cambiano, in relazione allo sviluppo del bambino (in particolare verso il quinto mese), può essere d'aiuto aumentare la quantità di attività. Due energiche sequenze yoga nel corso della giornata, che includano posture in piedi, camminate, voli e altalene, serviranno a dare la quantità di esercizio necessaria affinché il bambino sia piacevolmente stanco fino a quando comincia a gattonare.

- Se volete tenere sveglio il bambino un po' più a lungo per cambiare i suoi ritmi, provate specialmente la passeggiata energetica (vedi pagina 96) insieme a voli, altalene e lanci fatti stando in piedi.

Rendere il sonno piacevole

Un ritmo che riesca a bilanciare i periodi di sonno e veglia in modo soddisfacente o almeno accettabile per tutta la famiglia, dipende per lo più dal senso di sicurezza che il neonato associa al sonno. Se questo è diventato un problema per tutta la famiglia, il rilassamento comune può essere il modo migliore per stemperare il senso di tensione che il neonato associa al sonno.

- Osservate il bambino mentre si addormenta, prendendo nota di ogni tensione nel suo corpo: guardate le mani, il modo di respirare, il movimento degli occhi e il tono generale di tutto il corpo. Se notate un senso di tensione, potete aiutarlo a rilassarsi senza svegliarlo, parlandogli dolcemente e magari cullandolo un poco. Vedrete che si rilassa mentre dorme.

- Se il bambino si addormenta facilmente quando lo tenete in braccio, ma si sveglia non appena lo mettete giù, una sessione quotidiana di rilassamento insieme lo aiuterà a sentirsi più sicuro attraverso lo stretto contatto con voi. Questo farà sì che la separazione fisica da voi diventi meno traumatizzante.

- Se il vostro bambino fa resistenza al sonno, può essere d'aiuto camminare e rilassarsi camminando.

Problemi di digestione

Il sistema di medicina ayurvedica considera la digestione come il pilastro della salute e ritiene importante incoraggiare sia una buona assimilazione delle sostanze nutrienti, che l'eliminazione delle scorie, fin dall'inizio della vita. L'allattamento e la digestione sono fondamentali nella vita dei neonati e sono in larga misura determinanti per il loro benessere psicofisico.

Ancor più del sonno, l'alimentazione non è solamente un processo fisiologico ma è in qualche modo influenzato dalla percezione che il bambino ha del piacere a essa associato. Oltre alla soddisfazione di sentirsi lo stomaco pieno, l'allattamento è, in questa fase di speciale vicinanza fisica che vi lega, una fonte fondamentale di nutrimento spirituale per il bambino.

I vantaggi dell'allattamento al seno sono numerosi, per la salute sia del neonato che della madre, ma anche per quello artificiale è necessario ricordare che la qualità dell'interazione fisica al momento del pasto è cruciale. Lo yoga aiuta a valorizzare tutti gli aspetti della digestione e a migliorare, specie nei primi sei mesi di vita, la percezione da parte del bambino degli aspetti piacevoli della vita.

Per una corretta alimentazione

- State sedute o sdraiate in posizione rilassata.
- Non siate ansiose sulla quantità o qualità del vostro latte (seguite i consigli del pediatra). Dovete poter contare sulla supervisione medica necessaria a ogni diverso grado dello sviluppo del bambino
- Durante l'allattamento riposatevi e create un legame con il vostro bambino: in caso di allattamento al seno favorirà la produzione di prolattina nel vostro sistema, mentre in quello artificiale, le endorfine prodotte saranno associate con l'alimentazione.
- Se l'allattamento è difficile, rilassatevi respirando a narici alternate all'inizio di ogni poppata: vi distoglierete da un'eccessiva focalizzazione sul problema dell'allattamento, e il bambino non sarà disturbato sulla quantità da assumere.
- Ogni bambino si nutre con un suo ritmo: se mangia in fretta cercate di restare un po' più a lungo con lui, se mangia lentamente siate pazienti. Conoscere il suo ritmo, vi aiuterà a scoprire come alternare le sequenze yoga in modo a lui congeniale.

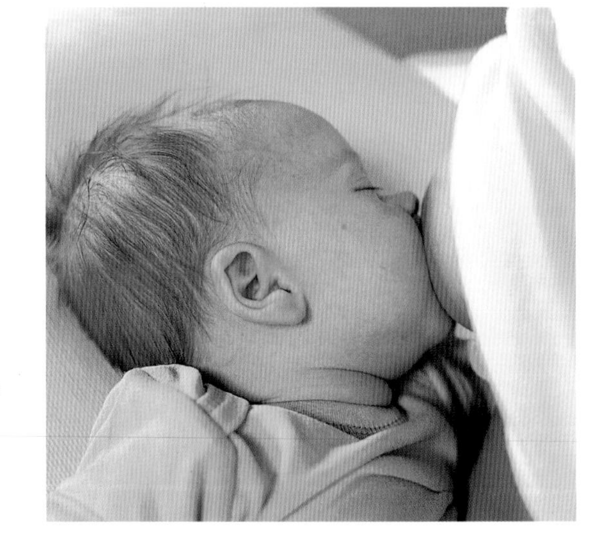

Rigurgito e vomito

Ci sono neonati che nella mezz'ora che segue la poppata rigurgitano latte parzialmente digerito mentre ad altri non capita mai. Lo yoga non sembra avere alcun effetto sul rigurgito infantile o sulla sua quantità; tuttavia, può aiutare i neonati sotto i quattro mesi a eliminare il muco che talvolta lo accompagna. Se state allattando al seno potete adottare una dieta che non ne stimoli la produzione, mentre se il neonato è allattato artificialmente, potete ricorrere a terapie alternative quali la riflessologia o il massaggio.

Attenzione: se il bambino vomita e ha diarrea, sospendete lo yoga e consultate un medico.

Il ruttino del neonato

La quantità di aria che il neonato ingurgita durante la poppata è variabile da soggetto a soggetto: se però siete rilassata e allattate stando nella posizione corretta, il bambino non dovrebbe quasi avere bisogno di «fare il ruttino». Se ne ha bisogno, troverete efficaci le piccole cadute descritte a pagina 37. In alternativa, potete tenerlo sulle vostre ginocchia nella posizione di sicurezza e massaggiare dolcemente con la mano di sostegno partendo dalla base della spina dorsale mentre l'altra mano sostiene il petto. In altre culture non c'è l'abitudine di stimolare il «ruttino» e le mamme lasciano che i bambini si regolino da soli.

Stitichezza

Un numero sempre maggiore di neonati soffre di stitichezza, perfino tra quelli allattati al seno, cosa che si pensava non fosse possibile. Lo yoga per i neonati la previene o la cura decisamente.

- La sequenza per le anche, fatta due volte al giorno, in genere risolve il problema.
- Un bambino già grandicello trarrà beneficio da torsioni e piegamenti.
- Risultati sicuri per un bambino che soffre di stitichezza cronica si hanno abbinando, quando si inizia lo yoga, la sequenza per le anche a un massaggio con olio tiepido.

Attenzione: se questi suggerimenti non danno risultato, consultate un medico e date più liquidi al bambino.

«Lo yoga ha aiutato moltissimo Anna per i dolori al pancino, distraendola e calmandola quando era agitata. La sua canzoncina preferita la aiuta a ritrovare il sorriso e ha imparato ad associare ritmi di camminata e respirazione al riposo.»

Coliche

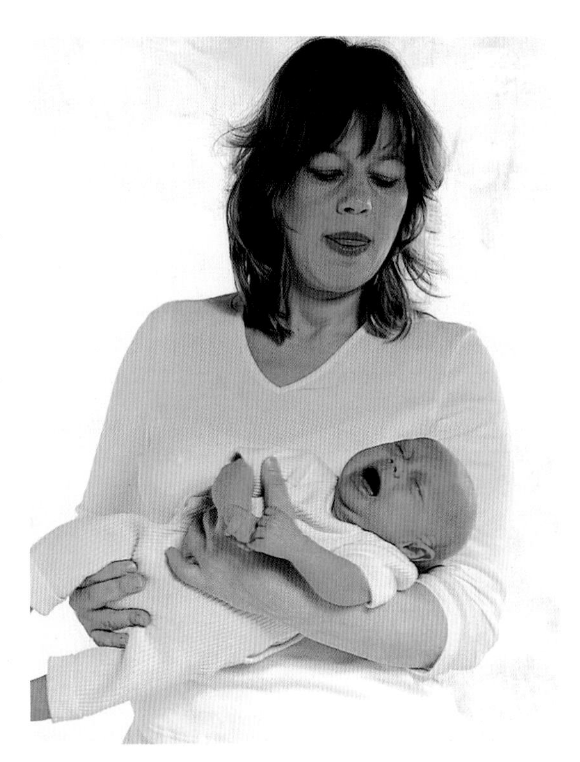

Accade spesso che i neonati, anche bambini perfettamente sani, fra le tre settimane e i quattro mesi di vita soffrano di intensi dolori addominali, che vengono definiti coliche. Il bimbo che ne soffre, ha episodi quotidiani di pianto disperato, specie la sera, e rannicchia le ginocchia per i crampi. Il termine colica è usato anche per indicare quel tipo di pianto di origine dolorosa, che non si riesce a calmare. Poi, un bel giorno, gli attacchi smettono così com'erano iniziati.

Le cause della colica sono sconosciute: potrebbe trattarsi di una reazione spastica dell'intestino o una reazione del sistema nervoso immaturo, o di entrambe le cose. Secondo la visione yoga ci potrebbe essere uno squilibrio di uno dei centri di energia del corpo, i chackra – in questo caso il chackra del delicato plesso solare del bambino. La colica sembra peggiorare allorché voi e il bambino siete stanchi e tesi: lo yoga allenta la tensione e riduce i sintomi della colica fino ad eliminarli.

Consolare il bambino

Sorreggete il bambino in posizione di sicurezza a pancia in giù (pagina 36), a contatto del vostro corpo ma rivolto verso l'esterno. Fatelo oscillare lateralmente in modo che la sua spina dorsale si stiri lungo la vostra gabbia toracica e non muovete la mano di sicurezza. La testa del neonato è alla vostra sinistra e la vostra mano sinistra – di sicurezza – passa sotto il suo braccio sinistro mentre il vostro braccio fa da sbarra al suo petto. Se invece siete mancine, la testa del bambino è alla vostra destra. Fate scivolare la mano di sostegno fra le gambe del bambino in modo che appoggi sul suo stomaco. Potete quindi massaggiare dolcemente lo stomaco mentre passeggiate, seguendo il ritmo che usereste per la camminata rilassata.

- Questo modo di sorreggere apre il petto del bambino mentre la schiena è sostenuta dal vostro torace. La maggior apertura sembra alleviare da sola i crampi dolorosi che caratterizzano la colica.

- Nonostante la posizione di stiramento, il bambino è sostenuto in modo tale da sentirsi al sicuro, vicino al vostro cuore.

- Il massaggio circolare allo stomaco è calmante e sentirete forse brontolii indicativi di movimenti digestivi e gas intestinale.

- Anche il ritmo della vostra camminata è calmante e vi fa sentire impegnati in un'attività volta a risolvere il problema.

- Se sorreggete in questo modo il bambino non appena mostra segni di colica, riuscirete probabilmente a bloccarne i sintomi.

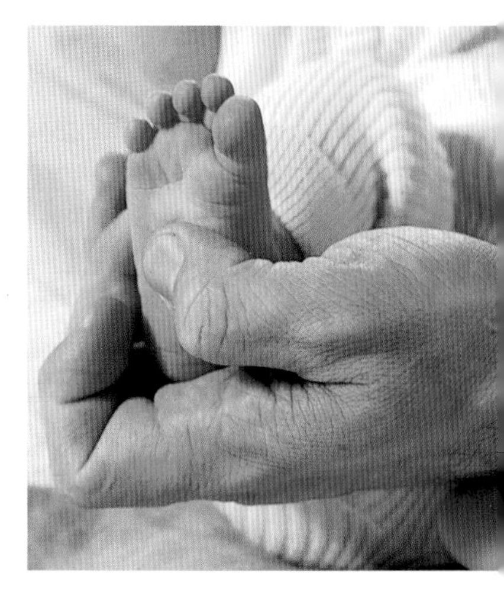

La sequenza per le anche e il massaggio

Allo stesso tempo, è utile praticare, magari di mattina, la sequenza completa per le anche, con attenzione al massaggio addominale per stabilire un buon contatto col bambino all'inizio della sequenza.

Per stimolare la digestione, strofinate con il pollice la pianta del piede del neonato, nella parte centrale tra tallone e punta. La riflessologia individua in quest'area i punti corrispondenti al colon ascendente e discendente e il massaggio alleverà i sintomi.

Stretching per il pancino

Per un neonato di età inferiore alle 8 settimane:

- Sedute con le ginocchia piegate, appoggiate il bambino a pancia in giù sulle vostre cosce. Massaggiate delicatamente la parte posteriore del plesso solare.

- Appoggiate il bambino a pancia in giù sulla vostra testa.

Con un bambino più grande:

- Sdraiate sulla schiena, a ginocchia rannicchiate, appoggiate il neonato prono sugli stinchi. Tenendolo per le manine, fatelo ondeggiare pian piano avanti e indietro.

- La posizione del pompiere illustrata a pagina 91 aiuterà a calmare la colica in maniera efficace.

Attenzione: non appoggiate il bambino di traverso come nella sequenza delle montagne russe, che aggraverebbe invece la colica.

Ritrovare la calma

Se il malessere del vostro bambino vi crea tensione, cercate di allentarla attraverso il plesso solare. Quando sembra che il neonato trovi un po' di sollievo, mentre vi rilassate insieme, focalizzate l'attenzione sul chakra del vostro plesso solare e esplorate le vostre sensazioni associate a quest'area: le prove della vita avranno forse lasciato il segno e la zona sarà sensibile. Provate a ripetere una frase consolatoria nei confronti vostri e del bambino: «Posso essere una buona amica capace di ascoltare me stessa e il bambino».

Traumi perinatali

Se ci sono stati problemi alla nascita ed è stato necessario effettuare interventi di emergenza, è possibile che il neonato abbia conservato memoria fisica del dolore e dello spavento che un evento inaspettato potrebbe far riaffiorare. Se non siete a conoscenza di nessun evento traumatico, ma tuttavia ne avete il sospetto, è meglio sbagliare per eccesso di zelo e avere un approccio curativo: non farà alcun male al bambino e risolverà praticamente ogni possibile trauma.

Guarire insieme il ricordo di una nascita difficile

Se la nascita del vostro bambino non è stata un evento gioioso e naturale quale vi aspettavate, può darsi che, pur accettandone le ragioni razionalmente, voi siate rimaste ferite a livello emozionale. Forse l'intervento d'urgenza ha interferito con il legame naturale e vi trovate ora a dover imparare ad amare il vostro bambino invece di esservi innamorate di lui a prima vista.

Creare un legame attraverso lo yoga

Fare yoga ogni giorno con il vostro bimbo, aiuta a creare un giocoso legame fisico tra voi. Le posture e i movimenti vi impegnano insieme in modo dinamico, promuovendo il contatto visivo e aiutandovi nella reciproca comunicazione. Per creare un solido legame con il vostro bimbo, specialmente se siete stati separati al momento della nascita, fate una sessione di yoga ogni giorno

- Il modo migliore di tenere un neonato di meno di 12 settimane è di cullarlo in braccio.
- Stare vicine al neonato (durante la passeggiata o quando vi sdraiate insieme per rilassarvi) può servire a creare un collegamento tra il periodo della gestazione e quello attuale. Vi aiuterà anche a liberarvi di ogni rabbia o frustrazione, portando in superficie un senso di gratitudine per il bimbo, a dispetto di ogni esperienza precedente. Parlate al bambino prima di iniziare il rilassamento, per liberare le emozioni piuttosto che cercare di reprimerle.

Curare i traumi della nascita con lo yoga

Gli interventi d'emergenza al momento del parto provocano per lo più traumi di piccola entità che guariscono spontaneamente. Lo yoga aiuta a risolvere una serie di problemi.

Rigidità alle spalle e alle braccia

Il bambino rifiuta di spalancare le braccia e spesso anche di aprirle in assoluto

- Non forzate il movimento in nessun modo ed evitate lo stretching alle spalle o alle braccia (pagina 58) fino a che la situazione non sarà migliorata.
- Fate la sequenza per le anche e le torsioni corrispondenti allo stadio di sviluppo raggiunto dal bambino.
- Estendete gradualmente le torsioni alle spalle: spesso il primo movimento che mostra di gradire è lo stretching diagonale mano-piede (pagina 51).
- Prima di passare a una nuova fase, aspettate qualche giorno per consolidare i risultati già ottenuti.
- Fate movimenti molto piccoli al ritmo di filastrocche o canzoncine, e ampliate il movimento gradualmente.
- Quando avrete acquisito più fiducia, provate la sequenza per braccia e spalle, con il bambino sdraiato sulla schiena.
- Aspettate fino a che questo movimento sarà acquisito, prima di passare allo stretching per le braccia in posizione prona (pagina 59).
- Complimentatevi col bambino man mano che, aumentando la fiducia, comincia ad allargare le braccia con più facilità.

Cattivo allineamento del collo

È causa di una leggera inclinazione della testa da un lato e può essere doloroso. Se vi hanno confermato che non è niente di grave e che migliorerà da solo col tempo, potete aiutarvi con lo yoga.

- Tutti gli esercizi di stretching alla spina dorsale rafforzano i muscoli che sostengono il collo.
- Nelle posture con il bambino supino, accertatevi che la testa sia diritta.
- Sono preferibili i dondolii nei quali sostenete testa e collo del bambino, piuttosto di quelli in posizione di sicurezza a testa in giù. Continuate a farli anche dopo le 16 settimane.
- La sequenza rovesciata a pagina 54 favorisce un buon allineamento della spina dorsale.

Guarire il ricordo dei traumi

Non siamo in grado di capire bene la sofferenza emotiva che il feto e i neonati provano in seguito a traumi fisici: è possibile che un neonato che urla improvvisamente, senza motivo apparente, stia ricordando un dolore provato in precedenza. (Questo può succedere durante lo yoga se premete leggermente una zona particolare del suo corpo o fate un movimento identico a quello fatto il giorno prima). La possibilità trova conferma se si ripete magari due o tre volte a brevi intervalli.

Lo yoga, e in particolare il rilassamento insieme, possono aiutarlo a calmarsi e a lasciar fuoriuscire la causa del malessere, sia che l'abbiate identificata o no. Otterrete risultati immediati poiché qualsiasi sia la causa che ha colpito il sistema nervoso del bambino, verrà risolta a livello fisico. È più facile per il bambino liberarsi dei traumi che possono averlo colpito a questo stadio piuttosto che più tardi, quando i ricordi diventano più complessi.

Altri problemi comuni

Il comportamento del bambino è profondamente influenzato dal modo in cui interagite con lui, e talvolta ne è addirittura condizionato. Può darsi che il vostro rapporto sia qualche volta negativo: è importante in questo caso che riusciate a non colpevolizzarvi o biasimarvi, guardando piuttosto alle possibili soluzioni. Ecco alcuni suggerimenti utili a rendervi consapevoli di alcuni modi di interazione sbagliati tra genitori e neonati, che possono essere modificati dallo yoga.

Alimentazione non-stop

Se alimentare il bambino sembra essere l'unica soluzione per tranquillizzarlo, potreste trovarvi a nutrirlo virtualmente non-stop tutto il giorno e talvolta anche la notte. Il bambino comincia a piangere non appena avverte una sensazione di vuoto allo stomaco (che potrebbe avvenire già mezz'ora dopo la poppata) e si agita sempre di più, finché ricominciate a nutrirlo. Dopo aver chiesto il parere del medico, e magari anche di un alimentarista, e se siete certe che il bambino aumenta di peso, potete provare ad alterare lo schema alimentare, per il suo e il vostro bene.

- Quando comincia a piangere dopo aver mangiato, provate a tenerlo nella maniera rilassata per consolarlo, descritta per la colica (pagina 132).
- Due o tre volte al giorno, quando sembra soddisfatto, fate la sequenza per le anche appropriata per lo stadio di sviluppo del bambino. Parlategli o cantate per rendere l'esercizio più piacevole.
- Durante la poppata, cercate di rilassarvi come meglio potete.
- Fate attenzione a quando il bambino mangia di più e quando invece sembra affamato ma si distrae facilmente o si succhia le dita.
- Distanziate gradualmente le poppate, aiutandovi con diverse sequenze yoga, scegliendo quelle che il bambino sembra gradire di più. All'inizio vi sembrerà un successo lasciar passare due ore tra un pasto e l'altro; potrete poi passare a due ore e mezza, ricordando però che i ritmi non sono uguali per tutti i neonati.
- Approfittate del tempo guadagnato per rilassarvi, per fare passeggiate yoga energetiche (pagina 96) e controllare la respirazione.

Se il bambino cresce poco

Nei casi in cui il bambino cresce con difficoltà, la causa potrebbe essere cercata nel rapporto negativo con l'ambiente che lo circonda. Bisogna resistere alla tentazione di vedere nel malessere del bambino la causa delle difficoltà di relazione fra voi e cercare invece di capire se la tensione che avvertite abbia un effetto negativo sul bambino. Molti stati di malessere, come la stitichezza, rispondono bene a uno o due giorni di pratica yoga, ma è possibile che il problema del vostro bambino sia di natura psicosomatica piuttosto che fisica. Grazie allo yoga è possibile individuare i possibili collegamenti tra salute e ambiente, e trovare la motivazione per fare cambiamenti costruttivi e promuovere l'armonia e il benessere a vantaggio di entrambi.

Riflessologia
Secondo il principio di questa terapia, i diversi punti del piede corrispondono alle diverse parti del corpo. Il massaggio e la manipolazione dei piedi aiutano a riequilibrare le funzioni dei diversi organi del corpo.

Osteopatia craniale
Questa terapia, attraverso un delicato massaggio delle ossa del cranio, tratta una quantità di disturbi. È spesso usata con successo per i bambini che hanno sofferto di un trauma alla nascita, specialmente per un parto con forcipe.

Confrontarsi con gli schemi educativi dei genitori

Quando avete deciso di avere un figlio, avete forse pensato di volerlo allevare in maniera diversa da come siete state educate voi o, viceversa, avete sentito il desiderio di riprodurre le vostre esperienze infantili per il vostro bambino. Ora che il bambino è nato, le mille esigenze quotidiane rischiano di eclissare questi propositi: vi trovate magari a replicare, senza volerlo, ciò che conoscete meglio e cioè la vostra esperienza personale o a fare deliberatamente il contrario. È luogo comune che i neo-genitori hanno difficoltà a strutturare i ritmi delle giornate e delle notti secondo norme da «nursery»; hanno paura di non fare la cosa «giusta», di non saper esprimere le emozioni. Sviluppare una routine di yoga col vostro bambino vi aiuterà a prendere coscienza di questi luoghi comuni, a «scoprirvi» qualora cerchiate di imitare, o di assumere un atteggiamento diametralmente opposto al genitore del vostro stesso sesso. Specialmente durante il rilassamento, mentre siete concentrati sull'«essere», potete osservare con distacco il vostro comportamento quotidiano e capirne la genesi. Dalla dimensione in cui il rilassamento vi fa entrare, potete cercare di capire e scusare quello che vi è stato insegnato e proseguire autonomamente il percorso dell'essere genitori.

Invertire il corso di una «spirale discendente»

Fare yoga insieme serve a colmare il desiderio del neonato di condividere con voi, attraverso un'esperienza positiva, un senso di felicità: desidera sentire vero e incondizionato amore. Il vostro bambino vuole sentirvi felici, e anche lui sta bene quando lo siete. Stati depressivi, di esaurimento, o momenti di difficoltà possono compromettere questa atmosfera gioiosa e trasformare rapidamente questa espansione di gioia (vedi pagina 20) in una spirale discendente di tristezza. La possibilità di invertire questo corso, è il contributo più efficace che lo yoga può dare al rapporto tra voi e il vostro bimbo.

1 Se sottoposti a stress, voi e il bambino sentirete diminuire il senso di amore che provate

- Un esaurimento o un violento stress possono farci sprofondare in uno stato di disperazionee distacco dal bambino.
- Il bambino risente immediatamente della carenza di affetto che è la sua fonte di nutrimento spirituale. Tuttavia, più lui piange, peggio voi vi sentite e questo lo fa piangere ancora di più.

2 Lasciate che il bambino vi aiuti

- Cercate di non perdere la speranza, ricordando che il bambino vi ama ancora incondizionatamente.
- Questa consapevolezza, mentre vi rilassate insieme, può servire a darvi nuove speranze.

3 Accettate un sostegno efficace con lo yoga quotidiano insieme a vostro figlio

- Se voi o il bambino avete bisogno di un sostegno in questo momento difficile, ricordate che lo yoga può essere la base per una salute futura basata su una routine di esercizio fisico quotidiano.

4 Prendete consapevolezza del rapporto con vostro figlio

- Attraverso il principio di autoriferimento (pagina 19) prendete consapevolezza deidiversi modi in cui la vostra disposizione d'animo influenza le reazioni del vostro bambino.

5 Usate il rilassamento per migliorare il rapporto con il bambino

- Questo è il punto di svolta per invertire la spirale discendente.
- È il momento di avviare una nuova spirale di gioia in espansione, sicure che se potete davvero lasciarvi andare e «arrendervi», la risposta del bambino sarà positiva. È un momento delicato, ma ogni volta che il bambino avvertirà il vostro rilassamento, sarà un passo in più verso il miglioramento.

6 Il processo di espansione, lento all'inizio, si consolida senza ombra di dubbi.

- A dispetto di ogni difficoltà, la base è così solida che il bambino non dubita più del vostro amore. Il successo ottenuto porta a una ulteriore espansione della spirale di gioiae siete pronte a crescere con il vostro bambino.
- Condividere la crescita significa nuova meraviglia ogni giorno e la sensazione, mentre abbracciate vostro figlio, che l'amore è il legame di tutto l'universo.

Bibliografia essenziale

Barbira Freedman, Françoise e Doriel Hall, *Postnatal Yoga*, Lorenz Books, London 2000.

Cappacione, Lucia e Sandra Bardsle. *Creating a Joyful Birth Experience* (capitoli 6, 7, 8, 9), Simon & Schuster, N.Y 1994.

Chamberlain, David, *The Mind of your Newborn Baby*, North Atlantic Books, Berkeley 1998.

Cochrane, Amanda, *Safe Natural Remedies for Babies and Children*, Thorsons, 1997.

Dayton, Tian, *Daily Affirmations for Parents*, Health Communications Inc., 1992.

Figes, Kate, *Generazione mamme*, Pratiche, Milano 1999.

Gerber, Magda e Allison Johnson, *Your Self-Confident Baby*, John Wiley & Sons, 1998.

Gillanders, Ann, *The Family Guide to Reflexology*, Gaia Books, 1998.

Green, Dr. Christopher, *Babies*, Simon & Schuster, 2ª edizione, 1998.

Heinl Tina, *Baby Massage: Shared Growth Through the Hands*, Sigo Press, Boston 1991.

Huntley, Rebecca, *The Sleep Book for Tired Parents: Help Solving Children's Sleep Problems*, Parenting Press, Seattle 1991; Souvenir Press, London 1992.

Klaus, Marshall e J. Kennell, *Parent Infant Bonding*, Mosby, St Louis 1982.

La Leche League International, *The Womanly Art of Breastfeeding*, Franklin Park, Interstate Printers and Publishers, Inc., NY 1997.

Leach, Penelope, *The First Six Months: Getting Together with Your Baby*, Alfred A. Knopf, New York 1987.

Leach, Penelope (a cura di), *Your Baby and Child*, Penguin Books, 1997.

Leboyer, Frédéric, *Loving Hands, The Traditional Art of Baby Massage*, Collins, London 1977.

Montague, Ashley, *Touching*, Harper & Row, 3ª edizione, NY 1986.

Odent, Michel, *Primal Health, a Blueprint for our Survival*, Century, London 1986.

Schneider McLure, Vimala, *Massaggio al bambino messaggio d'amore: manuale pratico di massaggio infantile per genitori*, Bonomi, Pavia 2001.

Sears, William e Martha Sears, *Everything you Need to Know about your Baby – from Birth to Age Two*, Little, Brown & Co. Boston 1993.

Stanway, Penny, *Green Babies*, Century, 1990.

Stewart, Mary e Kathy Phillips, *Yoga per bambini*, Mondadori, Milano 1993.

Stewart Nancy, *Your Baby*, Hamlyn, London 1995.

Thicke, Alan, *How Men Have Babies*, Contemporary Books, 1998.

Van de Rijt, Betty e Frans Plooij, *Why they Cry; Understanding Child Development in the First Year*, Thorsons, London 1996.

Walker, Peter e Fiona, *Natural Parenting: a Practical Guide*, Bloomsbury, London 1987.

Winnicott, Donald, *I bambini e le loro madri*, R. Cortina, Milano 1987.

Indice

Nota: tutte le voci, quando non specificato altrimenti, si riferiscono a neonati

Ringraziamenti

Desidero ringraziare anzitutto tutte le mamme, i papà e i neonati che si sono offerti di apparire in questo volume: Ros e Ismeni Belford; Lottie Brignall; Rebecca e Monica Chapman; Sarah e Hannah Colquhoun; Katy Holt e Anthony Demetriades; Tania e Jeremy Greenfield; Angela Menzies-Walker e Alabama Nutt; Dena Lawrence e Freddie Barratt Mihranian; Sam e Molly Marshall; Clare Murphy, Marion e Aimee O'Connor; Helmut Ronniger; Pam Ha-Stevenson e Joshua; Jane e Kitty Tench; Angela e Poppy Walker, e in particolare Fred, Hester e Bethsheba Tingey che sono diventati amici alla nascita dei loro quattro bimbi, e Marion che insegna yoga con Aimee.

Come tutti i libri che trattano di yoga, questo volume raccoglie le esperienze di molti maestri. Sono grata a tutti loro: Margaret Schofield e Mary Stewart in particolare hanno incoraggiato la pratica yoga casalinga insieme a bambini molto piccoli, molto prima che fosse accettata dalle associazioni di yoga.

Il team di produzione che ha partecipato alla realizzazione delle foto e dei testi di questo libro:

Sarah Chapman, il cui lavoro di editing ha contribuito alla chiarezza del testo; Sarah Theodosiou per il design; Pip Morgan che ha aiutato la causa; Christine Hanscomb per le belle fotografie che rendono in maniera eccellente l'interazione tra genitori e neonati; Sue Duckworth per lo styling.

Non avrei potuto sviluppare lo yoga per neonati senza il prezioso sostegno di tante persone, nel corso di molti anni di lavoro, troppe perché io possa nominarle singolarmente ma che ringrazio di cuore. Sally Lomas, che è stata una pioniera dello yoga per neonati con le sue Birthlight Classes a Cambridge, merita una menzione speciale. L'assistenza di Andrea Wilson e del Great Ormond Street Centre è stata insostituibile. Pia de Filippi, Marion O'Connor e Tracey Bullock hanno condiviso fatiche e soddisfazioni dell'insegnamento. I consigli di Sazanne Adamson sono stati di grande arricchimento per il volume. Insegnare a Londra è stato possibile grazie all'aiuto di Robin Monro, responsabile del Yoga Biomedical Trust: grazie Robin.

Nel corso degli anni, quando il libro era ancora solo nella mia testa, i responsabili di Birthlight mi hanno incoraggiato e sostenuto. Infine, ma non per questo meno importanti, le mie sorelle dell'Amazzonia, che mi hanno insegnato a «maneggiare» i neonati, e la mia famiglia.

stampato a Hong Kong

89-6
2002